누구나 세 가지 사랑을 한다

누구나 세 가지 사랑을 한다

케이트 로즈 지음
김보람 옮김

흐름출판

독자에게

당차고 사랑스러운 우리 여성들에게

도대체 왜 지금까지 영원한 사랑이 나타나지 않는 건지 궁금했던 적이 있나요? 우리는 가짜 사랑에 관한 교훈을 모두 얻고 난 이후에야 진짜 사랑을 맞을 준비가 됩니다. 그제야 당신을 있는 모습 그대로 사랑해줄 용감한 사람을 만날 수 있거든요. 달콤한 위스키 잔을 주고받다가 야성미 넘치는 용사와 눈이 맞을 수도 있습니다. 아니면, 동네 커피숍의 바리스타가 실수로 당신에게 바닐라 더블샷 톨 사이즈 대신 그란데 사이즈 모카를 내주면서 우연한 만남이 시작될지도 모릅니다. 운명의 사랑과는 이미 아는 사이일 수도 있습니다만, 그의 진면모가 눈에 들어오기까지는 아주 오랜 시간이 걸릴 수도 있습니다.

그 순간이 언제 다가오든, 그때가 되면 당신은 분명히 알 겁니다. 당신 잘못이 아니에요. 문제라면, 당신이 자신의 모습 그대로 충분하다는 걸 아직 깨닫지 못한 남자에게 당신이란 존재가 과분했던 것이겠지요.

그러다 언젠가 당신을 있는 그대로 사랑할 만큼 용기 있는 남자를 만나면, 그전에 만났던 남자들과 잘되지 않아서 천만다행이라는 생각이 들 거예요. 나아가 이 남자의 품에 안길 수 있도록 북극성 역할을 해준 게 바로 과거의 사랑들이라는 사실을 깨닫게 될 겁니다. 첫사랑을 영원한 사랑으로 가꾸어 나가는 사람은 거의 없거든요. 두 번째 사랑도 마찬가지고요. 사랑이 끝났을 당시에는 그 남자를 잊어야 한다는 생각으로 머릿속이 가득 차고 마음이 찢어질 것 같지만, 며칠 혹은 몇 달이 지나고 나면 문득 깨달을 겁니다. 잘 어울리는 반쪽이었다는 생각은 사실 당신의 희망 사항에 지나지 않았다는 걸 말이죠.

그동안 숱하게 많은 벽에 부딪혔고 시린 바람도 충분히 맞았으니 이제는 당신이 있는 방향으로, 최소한 가운데 지점까지는 마중 나올 사람을 만나야 합니다. 당신처럼 멋진 여성을 사랑할 만큼 용기 있는 사람만이 당신의 사랑을 받을 만한 자격이 있으니까요. 누가 뭐라 해도 당신은 유일하고 특별한 존재입니다. 그 누구도 그렇지 않다고 말하게 내버려두지 마세요.

평범한 일상을 아름다운 것으로 바꾸는 일에는 마법 같은 면이 있습니다. 당신의 수수한 미소에 누군가는 다리가 풀려버리고 가슴이 벌렁거릴 겁니다. 그렇다고 이 남자를 만나기 이전에 만난 다른 남자들이 자기 감정의 소용돌이에 휩싸여 당신의 진가를 알아차리지 못했던 게 당신 잘못은 아닙니다. 이전까지의 모든 연애는 끝까지 갈 운명이 아니었던 거예요.

당신은 아침마다 희망이라는 상큼한 향기에 몸을 담가 지난날의 실수를 씻어내고 새날의 도전에 용감하게 맞서는 여성입니다. 어린 날, 미친 듯 꿈을 좇던 그때의 매력을 지금도 여전히 뿜어내며 빗속에서 멋지게 춤을 추는 여성입니다.

당신은 어딘가에 자신의 반쪽이 존재하리라는 걸 잊은 적이 없습니다. 당신에게서 헤어 나오지 못하는 사람을 만난 순간, 그가 그 누구에게도 없던 용기를 지닌 바로 그 사람이라는 사실을 알게 될 겁니다. 어쩌면 당신이 찾던 용사의 모습이 아닐지도 모릅니다. 어쩌면 그간의 여정에서 흘린 눈물 때문에 여기저기 얼룩이 남아 있을지도 모릅니다. 그러나 그는 당신의 강렬한 시선에도 결코 물러나지 않는 용기를 보여줄 겁니다. 그는 겁먹지 않을 것이며, 사랑에 빠지지 않으려는 당신을 그냥 보고만 있지도 않을 겁니다. 그 남자는 바로 당신 같은 여자를 꿈꾸며 일생을 보냈을 테니까요.

그 남자, 당신의 용사, 당신의 트윈플레임은 그가 당신의 세 번째 사랑인 이유를 보여줄 것이며, 당신이 그를 만나기 이전에 다른 남자들을 만날 수밖에 없었던 이유도 알려줄 겁니다. 그리고 당신이 그동안 사랑 때문에 흘렸던 숱한 눈물 방울이 충분히 가치 있었다는 사실도 알려줄 겁니다. 살다 보면 우리가 들고 있던 사랑의 지침서를 내팽개치게 만드는 운명의 상대를 반드시 만나게 마련입니다.

유사성을 찬양하는 이 세상에서 당신은 그 누구와도 다른 모습으로 태어났습니다. 그동안은 당신의 고유함을 영광스럽게 여기기 힘들었을 테지만, 이 남자를 만나면 마침내 그 고유함이 얼마나 소중한지 깨닫게 될 겁니다. 당신이 다른 사람과 비슷한지 다른지는 중요하지 않습니다. 당신에게 사랑받을 자격이 없었던 적은 없습니다. 당차고 사랑스러운 여성인 당신에게 필요한 전부는 당신 같은 여성을 사랑할 만큼 용기 있는 남자뿐이니까요.

물론 그동안 만난 남자들 중에 운명의 상대일까 싶었던 사람도 있을 것이고, 더 나은 섹스를 할 수 있을까 싶어 심심풀이로 만난 사람들도 있을 겁니다. 또 그중에는 사람들의 눈 밖에 나지 않도록 점잖게 행동해야 한다는 생각을 잊어버리게 만들 만큼 매력적인 사람도 있었겠지요. 그동안 사랑의 맛을 보기야 했겠지만, 아직 당신을 통째로 집어삼키는 것 같은 사랑은 경험해 보지 못했을 겁니다.

당신은 연인의 품에 녹아들고 싶은 욕망이 없다고 말하지만, 사실은 황홀해지고 싶고, 뼛속까지 파고드는 사랑을 느끼고 싶고, 풀어내린 머리카락 사이로 스미는 환희를 느끼고 싶을 겁니다. 그러니까 내가 하고 싶은 말은, 당신이 이 전부를 원하고 있다는 겁니다.

당신은 시간을 이기는 사랑을 원합니다. 저 하늘의 별처럼 당신의 마음을 정신없이 빙글빙글 잡아 돌리는 사랑을 말이죠. 그러나 사랑은 깊은 시골 마을에서나 딸 수 있는 감미로운 꿀처럼 천천히 만들어집니다. 물론 맛도 그만큼 달콤하지요. 이런 사랑은 고된 하루를 보낸 당신을 위로해줄 만큼 강인하면서도 부드럽습니다. 앞으로 무슨 일이 일어날지 미리 알고 싶겠지만, 별똥별이 어두운 밤하늘을 반짝 가로지르듯, 인생에도 예상치 못한 순간이 존재합니다.

누가 당신에게 이 전부를 원하는 게 잘못이라고 말하던가요? 어째서 이게 비현실적인 희망이 되어버렸나요? 제가 생각할 때 가장 큰 잘못은 당신에게 있습니다. 도대체 무엇 때문에 그들의 말을 믿었나요? 현실은, 영원한 사랑으로 가는 길이 우리 예상보다 더 멀 수도 있다는 것뿐입니다.

사랑에 적용할 수 있는 공식이 있다고, 그 공식을 따르면 결국 행복해질 거라고 당신에게 말할 수 있으면 좋겠습니다만, 이미 겪어보셨잖아요. 2년간 함께했던 그 사람이 남기고 떠난 거라고는 생각지도 못했던 빚더미와 침대 밑에 나뒹구는 낡아빠진 운동화 한 켤레뿐이라 하더라도, 사랑의 추억이라고는 함께 낳은 아이들뿐이라 하더라도 어떤 일이든 그 나름의 가치가 있는 법입니다. 그 모든 순간 덕분에 지금의 당신이 존재할 수 있는 것이니까요.

처음에는 갖은 방법을 써보고, 다음번엔 그중에서 몇 가지를 추려 조금 더 노력했겠지요. 새로 나온 자기계발서를 모조리 읽고, 신상 립스틱과 그에 잘 어울리는 원피스까지 샀는데, 그러고도 밤마다 홀로 잠자리에 드는 자신을 발견하면서 도대체 뭘 잘못한 건지, 어째서 나만 불행해 보이는 건지 알 수 없어 고개를 갸우뚱했을 것입니다.

그런데 당신이 잘못하기는커녕 모든 걸 제대로 하고 있었던 거라면 어떤 생각이 들까요? 이 여정이 당신에게 꼭 필요했다면요? 원래 우리 내면의 중심인 '참 자기'로 향하는 여정은 힘든 법입니다.

이 여정은 당신의 마음에 생채기를 내고 영혼을 다치게 합니다. 평생 혼자 살 운명인가 하는 의문이 들기도 할 거예요. 한밤

중에 떠오르는 고민을 같이 해결해주고, 당신이 원하는 삶을 같이 그려 나가줄 용감한 남자가 이 세상에 존재하는 건지 의문스럽기도 할 겁니다. 중요한 건, 당신 자신의 진정한 모습을 찾기 전까지는 당신이 원하는 사람을 끌어당길 수 없다는 사실입니다.

우리 안의 가장 어두운 부분을 받아들인다는 건 두려운 일입니다. 겉으로 드러내면 예의에 어긋나므로 고이 접어 깊숙이 숨겨놓으라고 귀에 못이 박히게 들었던 바로 그런 부분이니까요. 그런 어두운 내면을 우리는 멋지다고 생각하지 않습니다. 또 그런 내면 덕분에 우리가 "부탁합니다" "감사합니다"라고 인사할 줄은 알아도 스스로 원하는 바를 얻기 위해서 피 한 방울 흘릴 줄 모르는 꼭두각시와 다르다는 사실을 인지하지도 못합니다. 오히려 감추려고 급급할 뿐이지요. 더 깊은 곳에 숨기려고 꾹꾹 삼키다 보니 우리 자신의 진실에 대해 스스로 숨이 막힐 지경입니다.

그렇게 우리는 장점뿐만 아니라 우리를 남들과 구분지어주는 진정한 모습들까지 깊이 묻어둡니다. 있는 그대로의 모습으로 우리를 온전히 받아들이고 사랑해줄 사람이 존재하지 않을지도 모른다는 두려움이 마음속 깊은 곳에 존재하기 때문입니다.

당신의 피를 타고 흐르는 당찬 열정을 받아들이지 않으면, 바로 당신 같은 여성을 찾고 있는 남자의 눈망울에 감도는 반짝임을 결코 알아볼 수 없습니다. 상대가 이 사실을 모른다면 더욱 그렇지요. 더 많은 걸 바라는 욕구는 이미 당신의 몸에 배어 있습니다. 상대방도 마찬가지입니다. 상대 역시 당신이라는 영원한 사랑을 만날 준비를 갖추기 위해 이미 두 가지 유형의 사랑을 거치며 그만의 여정을 걸어왔을 테니까요.

당차고 사랑스러운 우리 여성들이여, 당신의 당찬 모습을 진심으로 받아들일 준비가 되었나요? 마음이 아프고, 이성과 논리가 반대하더라도 다시 한 번 마음을 열고 영원한 사랑을 믿을 준비가 되었나요? 주변에서 강요하는 여성상, 주변에서 기대하는 삶의 모습을 내팽개칠 준비가 되었나요? 이제 우리는 과거의 우리 자신을 용서해야 합니다. 우리는 우리 자신과 화해하고, 과거에 사랑했던 이들과 화해하고, 미지의 길로 떠나야만 합니다. 그 길 위에 열정, 창의, 자연스러움, 그리고 우리가 꿈꾸던 사랑이 기다리고 있을 테니까요.

프롤로그

사랑의 목적은 무엇일까?

어렸을 때 우리는 사랑을 용을 때려잡고 악마를 잠재우는 힘이라고, 연인의 강인한 품 안에서 우리를 지켜주는 힘이라고 생각한다. 그러나 점점 나이를 먹고 마음의 상처를 경험하면서 사랑이란 어쩌면 그저 주거니 받거니 하는 일종의 화폐일 수도 있겠다는 생각하게 된다. 우리가 진정 무엇을 원하는지는 여전히 깨닫지 못한 채. 그러면서 의문이 생긴다. 사랑이 존재하기는 하는 걸까?

사실 사랑이란 누군가에게 우리의 애정을 끊임없이, 계속해서 표현하는 소소한 순간들이 셀 수 없을 만큼 모인 것이다. 사랑love은 명사이면서 동시에 동사다. 사랑은 우리가 혼란스러운 삶에 지쳐 무너졌을 때 연인의 어깨에 기대어 그의 보드라운 플란넬 셔츠를 촉촉이 적시는 눈물이며, 온 세상이 잠든 어둑한 새벽 2시 배꼽이 빠질 듯 터져 나오는 웃음이다. 사랑은 타인을 향한 우리의 깊은 마음을 표현하는 방식으로, 감정이면서 동시에 행동이다.

이게 끝이 아니다. 사랑은 우리를 더 좋은 사람, 더 나은 사람이 되고 싶게 만들고, 상대방에게도 이와 비슷한 영향을 준다. 우리는 사랑을 통해 배우고 성장하며, 이전보다 더 의식적이고 아름다운 모습으로 진화한다.

사랑은 우리 자신, 타인, 세상과 관계 맺는 법을 가르쳐주는 수단이다. 성공적인 연애를 위한 법칙이나 행복해지는 방법은 태어나면서 저절로 알게 되는 것들이 아니다. 오랜 시간 동안 고생고생하며 어렵게 깨닫게 되는 것들이다. 온갖 시행착오 끝에 우리는 마침내 사랑이 무엇인지 깨닫게 되고, 가장 진실한 사랑을 실천할 때 어떤 느낌이 드는지 알게 된다.

사랑을 단순히 상대방과의 연애라고 생각하는 순간, 우리는 실수를 하게 된다. 우리는 사랑의 세 단계를 거친 이후에야 진정한 자기 자신을 찾을 수 있다. 태어나자마자 두 발로 서서 달릴 수 없듯이 처음부터 진심을 다해 영원한 사랑을 한다는 건 극히 어려운 일이다. 마음의 상처와 슬픔, 숨겨진 욕구를 넘어서야만 비로소 우리가 생각했던 사랑의 개념을 초월해 진정한 사랑을 만날 수 있다.

어린 시절에, 그러니까 아이를 낳거나 결혼하기 전에 세 번째 사랑을 만났더라면 그 사람과 내가 살아가면서 겪어내고 배웠어야 할 모든 과정을 건너뛰고 곧장 행복의 길로 접어들 수 있었을까? 그러나 나 자신을 되돌아보면 이게 도무지 말이 안 되는 소리라는 걸 깨닫는다. 당시의 나는 상대방이 진정한 자기를 발견해내도록 도울 수 있는 사람이 아니었기 때문이다. 지난 사랑들을 돌아보면 저마다 내 안에서 각기 다른 모습을 이끌어냈다. 그리고 첫사랑이 끝 사랑이라고 말할 수 있다면 듣기에 달콤하겠지만, 사실 현실에서 이런 일이 이뤄질 가능성은 거의 없다.

사랑은 우리가 가장 기대하지 않을 때 가랑비에 옷 젖듯 우리를 찾아온다. 사랑은 우리 삶을 더 편하게 만들어주거나 우리 욕망을 달래어주지 않는다. 그러나 사랑은 우리가 '우리 자신'이라는 고향으로 돌아갈 수 있도록 이끌어준다.

사랑은 있는 모습 그대로 인정받고 싶은 욕구, 이해받고 싶은 욕구, 보살핌 받고 싶은 욕구 등 우리의 모든 욕구를 충분히 채워준다. 사랑에서 중요한 건 그 안에 들어 있는 알맹이다. 사랑은 우리를 앞으로 나아가게 하고, 성장하게 하며, 우리를 지금보다 더 나은 사람으로 만든다.

차례

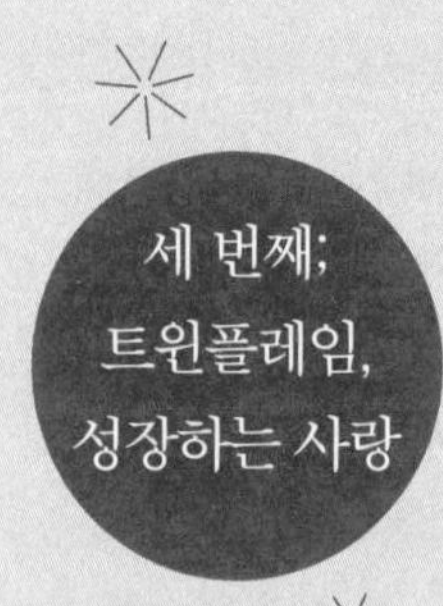
세 번째;
트윈플레임,
성장하는 사랑

• 소울메이트, 편안한 사랑

소울메이트 사랑은 우리에게 다른 사람과 함께한다는 게 어떤 의미인지 가르쳐준다. 이 사랑은 첫 번째 연애인 경우가 많으며, 주로 고등학생 시절 혹은 고등학교를 갓 졸업하고 아직 몽상에 빠져 있는 어린 나이에 겪는다.

소년이 소녀를 만나 사랑에 빠져 (어쩌면) 결혼까지 한다. 그리고 평생 행복하게 산다. 어릴 때 읽던 동화책에나 나오는 이야기다. 자신이 어떤 사람인지 채 알기도 전에 우리는 이런 동화가 주는 교훈을 마음에 새긴다. 우리가 사회를 위해, 가족을 위해, 심지어 개인적 신념을 위해 해야만 한다고 생각하는 많은 것들이 사실 이러한 교훈에 밑바탕을 두고 있다. 그 결과, 우리는 소울메이트가 우리의 유일한 사랑일 거라고 믿는다. 아닌 것 같다는 느낌이 들더라도, 연애 관계를 유지하려면 우리의 진짜 마음을 삼켜야만 하더라도 말이다. 이렇게까지 해서 우리가 배우는 게 무엇일까? 사랑은 원래 이렇구나, 하는 것이다. 가족이나 사회의 규범에 밑바탕을 둔 사랑은 썩 모험적이지 않다. 이런 사랑은 파동을 만들어내지 못한다.

소울메이트 사랑은 동일한 지리적 영역과 동일한 사회경제적 배경에서 싹트는 경우가 많다. 소울메이트 사랑의 대상은 부모님이 마음속에 그리던 사윗감일 수도 있다. 그와의 사랑은 물 흐르듯 수월하게 진행될 것이다. 혹시 뭔가 부족한 느낌이 들더라도 주변의 인정과 격려에 한껏 취해 크게 신경 쓰이지 않을 것이다. 이 유형의 사랑을 할 때 우리는 자신의 감정보다는 타인의 시선에 더 많이 의존하는 모습을 보인다.

이 첫사랑의 상대가 바로 우리의 소울메이트다. 내 소울메이트 사랑은 고등학생 시절에 찾아왔다. 내 첫사랑은 순수하고 달콤했다. 그 무엇과도 견줄 수 없을 만큼. 소울메이트와는 손쉽게 사랑에 빠진다. 그는 소울패밀리soul family처럼 생을 거듭하며 여러 차례 만난 영혼의 단짝이다. 그와 함께 있으면 마음이 편안해진다. 그렇기 때문에 이런 감정이 영원할 것이라고 쉽게 오해

한다. 그래서 약혼하거나 결혼까지 하는 경우도 있다. 물론 소울메이트를 떠난 뒤 평생 잊고 사는 사람들도 있다. 그러나 소울메이트가 다시 돌아와 삶의 여정에서 상처받은 우리의 마음을 치유하도록 도와주는 경우가 더 흔하다. 카르마 사랑을 겪은 우리에게 안전한 착륙판을 제공해주는 식으로 말이다.

우리는 소울메이트와의 관계에서 우리가 무엇을 원하는지 정확히 알고 있다. 게다가 마음속 깊은 곳에서는 이 관계가 사실 우리가 원하는 게 아니며, 우리에게 필요한 전부가 아니라는 사실 또한 잘 알고 있다. 그렇지만 미지의 세계로 나아간다는 생각 자체가 너무 두려워 그 안에 숨어버리는 것이다.

이 사랑에서 가장 중요한 것은 현실이 어떻든 이 관계가 남들 눈에는 그저 옳게만 보인다는 것이다.

• 카르마, 중독된 사랑

카르마 사랑은 우리가 어떤 사람인지, 우리가 어떤 사랑을 어떻게 받아야 하는지 가르쳐주는 고된 사랑이다. 이 사랑은 거짓말, 아픔, 농간 같은 냉정한 가르침을 통해 우리에게 상처를 주기도 한다. 우리에게는 욕망이 있고 욕구가 있다. 그러나 이 사랑을 시작할 무렵에는 이 둘의 차이점 혹은 이를 지녀야 할 필요성을 인식하지 못한다. 욕망은 조절할 수 있지만, 우리의 핵심 욕구는 그렇지 않다(이에 대해서는 뒤에 더 깊게 다루기로 하자). 우리에게 이러한 가르침을 주는 것 역시 카르마 사랑이다.

이 사랑은 소울메이트 사랑과 전혀 달라서, 우리 모르게 다가오는 경우가 많다. 때로는 충격적이고 때로는 자극적이기도 하다. 천천히, 그리고 꾸준히 타오르는 사랑이 아니라 시작부터 빠르고 뜨겁게 몰아치는 사랑이다. 카르마 사랑에 빠져 있을 때 우리는 다툼 뒤에 따라오는 격정적인 사랑이라는 사이클에 강렬하게 사로잡혀버리기 때문에 우리가 얼마나 깊이 상처받은 상태인지 제대로 깨닫지 못한다.

이 사랑을 할 때 가장 어려운 것은 어째서 이 사랑을 바로잡을 수 없는지 이해가 안 된다는 점이다. 우리가 꿈꾸던 사랑에서 겨우 손톱만큼 떨어져 있을 뿐인데! 우리는 여전히 어떻게든 상대방을 기쁘게 만들어서 우리를 사랑받을 가치가 있는 존재로 만들어야 한다고 생각한다. 그러나 제대로 해보려고 할 때마다 상황은 늘 악화돼버릴 뿐이다.

두 번째 사랑에 빠져 있던 때 나는 오랫동안 장밋빛 안경을 끼고 있었다. 내 러브스토리를 놓치고 싶지 않은 마음이 너무 커서 현실을 무시했고 기꺼이 침묵했다. 진정한 행복을 맛보기 위해 위험을 감수하느니 그 자리에 머물며 익숙한 악마와 협상하는 편이 더 쉬웠던 것이다. 이 유형의 사랑에 빠져 있으면 우리는 여전히 외부에서 행복을 찾는다. 그러면서 이 사랑에 문제가 있다고, 그 문제를 우리가 해결할 수 있을 거라고 생각한다. 사실은 그게 아니라 우리 자신과 우리의 선택에 만족하지 못해서 불행한 것임을 전혀 인지하지 못한 채 말이다.

첫 번째와 두 번째 유형의 사랑에는 두려움이라는 감정이 개입한다. 남들이 우리를 어떻게 생각할까? 우리에게 뭐라고 할까? 혹시 이 사랑을 잃어버리는 건 아닐까? 자꾸 어그러져가는 이 사랑을 어떻게 바로잡아야 할까? 만약 끝내야 한다면 끝내야 할 때를 어떻게 알 수 있을까? 언제 (그리고 어떻게) 잊어야 하는 걸까? 이때는 우리가 아직 우리 자신이라는 고향으로 돌아오기 전이기 때문에 계속 외부에서만 답을 찾으려고 한다.

두 번째 사랑은 건강하지 않고, 불균형하고, 자아도취적인 경우가 많다. 감정적 · 정신적 지배나 폭력, 심지어 신체적 폭력을 수반하기도 한다. 수위 높은 드라마가 펼쳐질 가능성도 매우 크다. 롤러코스터처럼 양극단을 오르내리는 감정의 기복. 우리가 이 러브스토리에 중독되는 까닭이 바로 여기에 있다. 우리는 주삿바늘을 꽂는 마약 중독자처럼 황홀감을 맛보기 위해 바닥을 치는 힘든 시기를 꾹 참고 견딘다.

안타까운 사실은 두 번째 사랑이 사이클이 될 수도 있다는 것

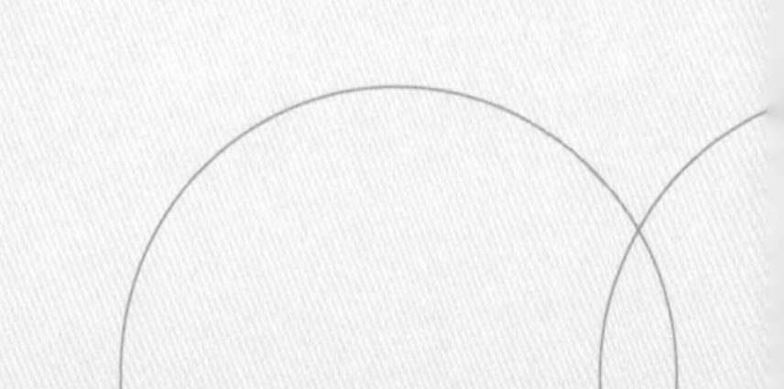

이다. 이번에는 어떻게든 다른 결말을 맞을 수 있을 거라는 생각을 버리지 못하고 상대만 바꾸어가며 두 번째 유형의 사랑을 반복한다. 다행스러운 것은, 우리가 온갖 힘든 상황을 적극적으로 해결하며 앞으로 나아갈 수 있게 하기 위해 이토록 고된 사랑이 찾아오는 것이라는 사실이다. 이 사랑을 겪고 나면 우리는 결코 될 수 없으리라 생각했던 사람이 되어 있을 것이다. 그리고 전에는 상상조차 할 수 없었던 일들을 해내게 된다.

두 번째 유형의 사랑은 우리가 운명이길 바라는 사랑이다. 비록 그럴 일은 결코 없겠지만. 이 사랑은 우리에게 사랑을 위해 무슨 일까지 할 수 있느냐고 묻는 건 물론이고 그 과정에서 누구에게까지 상처를 줄 수 있느냐고 매섭게 묻는다. 그리고 대부분의 경우, '누구에게까지'가 가리키는 대상은 우리 자신이다.

카르마 사랑에 빠져 있을 때 우리는 이 사랑을 유지해야 하느냐 마느냐 하는 문제를 고민하기보다 이 사랑을 유지하기 위해 어떤 노력을 해야 하느냐 하는 문제로 고민한다. 과연 그런 노력을 할 만한 가치가 있는 사랑인지 생각할 여유를 전혀 갖지 못한 채. 사랑의 성공 여부에 우리 자신의 가치를 투영하기 때문에 사랑이 끝나면 자존감도 함께 무너진다. 그러나 이는 시작일 뿐이다. 우리는 곧 자존감을 회복하고 진정한 자기를 발견하는 여정을 시작하게 된다.

• 트윈플레임, 성장하는 사랑

트윈플레임은 우리에게 다가오리라고는 전혀 예상하지 못한 사랑이다. 마침내 온전해지고 혼자 힘으로 설 수 있게 된 우리를 트윈플레임이 생각지도 못한 방식으로 보완한다. 그리고 최고의 방식으로 삶에 도전하도록 만든다. 그렇다고 이 유형의 사랑이 언제나 쉽게 이뤄지는 것은 아니다. 세 번째 사랑의 목표는 단순히 서로 사랑하는 게 아니라, 진정한 자기를 찾아 성장할 수 있도록 서로를 돕는 것을 포함하기 때문이다. 트윈플레임은 처음에 전혀 우리의 짝이 아닌 것처럼 보인다. 최소한 첫인상만큼은 그렇다. 우리가 아직 미련을 버리지 못해 머릿속에 남겨둔 이상적인 사랑의 관념을 모조리 파괴해버리는, 그런 사람처럼 보인다. 그러나 나중에 돌아보면, 이 사랑은 말도 안 될 만큼 수월했다는 생각만 들 것이다. 그리고 이 만남을 표현할 말이 없어 당황스러울 것이다.

트윈플레임을 만날 무렵, 우리는 두 번 다시 사랑하지 않겠다고 맹세한 상태이거나 소울메이트라는 안전지대로 돌아가 있는 가능성이 크다. 특히 두 번째 사랑에서 참패를 겪은 이후라면 이번에는 정말로 다를 거라는 믿음을 또 다시 갖기가 힘들 것이다. 이 무렵이면 우리는 대개 웬만큼 나이 든 상태로, 깊이 있는 연애 또는 결혼을 경험했을 수도 있다. 어쩌면 아이가 있을 수도 있다. 다시 말해, 또 다시 상처 입을 위험을 감수하느니 사랑의 가능성을 완전히 배제해버리는 것이 더 편하게 느껴지는 상태일 수 있다.

그러나 얼마나 열심히, 얼마나 오랫동안 밀어내든 간에 우리가 잠깐 고개를 돌린 틈을 타 이 사랑은 결국 우리 안에 들어온다. 어떻게든 피하려고 그토록 애썼던 사랑이 어느 순간 뚜렷하게 모습을 드러내면서 우리는 그렇게 또 다시 세 번째이자 마지막으로 사랑에 빠진다.

이 사랑은 누군가와 만나 꼭 들어맞는다고 느끼는, 바로 그런 사랑이다. 상대의 행동에 대해 어떤 기대가 없고, 우리가 다른 사람이 되어야 한다는 압박감도 없다. 서로가 서로를 있는 모습 그대로 받아들인다. 그리고 이 사랑은 우리의 중심까지 뒤흔든다. 우리는 이때까지 사랑하면서 사랑을 통해 만족감을 얻거나 사랑을 유지하기 위해 허덕이기만 했기에, 아무런 노력 없이 이런 관계가 유지된다는 데 불안해진다. 이 관계에서 필요한 건 싸우지 않고도 사랑을 얻을 수 있다는 사실을 받아들이는 것, 그리고 그런 사랑은 우리가 요구하지 않더라도 우리에게 부드럽게 다가온다는 사실을 받아들이는 것이다.

이는 우리가 상상했던 그런 사랑이 아니고, 안전하게 유지되길 바라며 우리가 지켜왔던 오랜 규칙에 부합하지도 않는다. 이 사랑은 우리의 모든 선입견을 산산조각 낸다. 이 사랑은 영원한 동반자에 관한 우리의 모든 고정관념을 깨뜨리며, 사랑에 관한 오랜 기대에도 어긋난다.

앞서 경험한 두 가지 유형의 사랑에서 배운 것이 있기야 하겠지만, 그 교훈을 실천하도록 우리 등을 떠미는 건 세 번째 유형의 사랑 하나뿐이다. 세 번째 사랑에 이르러서야 우리가 무엇을 배웠는지, 또 어떤 사람이 됐는지 깨닫게 될 뿐만 아니라, 실제로 전과 다른 선택을 할 수 있게 된다. 세 번째 사랑은 마침내 모든 교훈을 올바르게 실행할 수 있는 기회다. 이는 모두 우리가 마침내 그 차이를 알 수 있는 경지에 도달한 덕분에 갖게 된 기회다.

세 번째 사랑은 우리가 대답하기까지 얼마나 오래 걸리든 개의치 않고 계속해서 우리 마음의 문을 두드리는 사랑이다. 영원한 동반자를 만나면, 무엇도 이 관계를 망치지 못한다. 우리는 이 사랑에서 결코 도망칠 수 없다. 이 사랑은 아무리 말이 안 돼 보이더라도, 아무리 겉포장이 그럴싸해 보이지 않더라도 우리에게 꼭 맞는다는 느낌을 주는 그런 사랑이다.

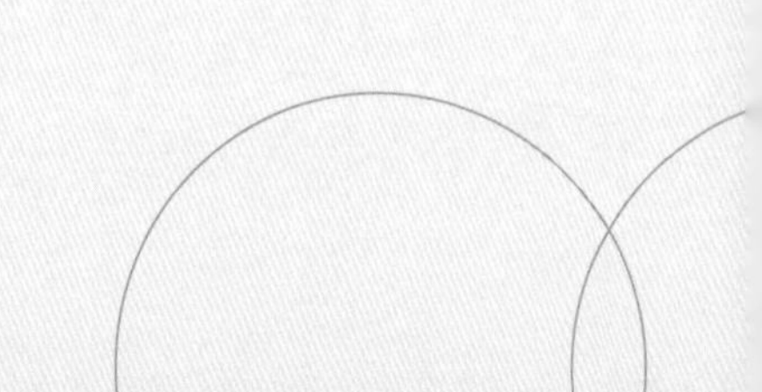

"인생에는 세 가지 유형의 사랑이 있다"

우리가 누구든 어디에 살든 살아가면서 반드시 세 가지 유형의 사랑을 경험하게 된다. 더 중요한 건, 이 가운데 두 가지 유형인 소울메이트 사랑과 카르마 사랑은 서로 같은 목적을 공유한다는 사실이다. 두 사랑 모두 결국에는 끝나는 게 목적이다. 그리하여 세 번째 유형의 사랑이자 우리의 마지막 사랑인, 트윈플레임 사랑이 우리 인생에 끼어들 자리가 생기도록 한다.

소울메이트 사랑이 끝나면, 사랑이 두 번 다시 찾아올까 하는 의문이 든다. 열정적인 카르마 사랑이 식고 나면, 차라리 긴 밤마다 찾아오는 냉소를 부둥켜안고 사는 편이 낫겠다고 생각하며 다시는 사랑 따위 하지 않으리라 맹세하기도 한다. 그렇기 때문에 세 번째 사랑이 찾아와 마음의 문을 두드려도, 심장이 가슴을 쿵쿵 치면서 한 번 더 문을 열어보라고 아무리 애원해도 논리를 담당하는 이성이 확신하지 못하고 망설이게 되는 것이다.

우리는 반드시 세 가지 유형의 사랑을 거치면서 우리가 어떤 사람이고 진정 원하는 게 무엇인지 먼저 깨달아야 한다.

첫 번째;

• 소울메이트,
편안한 사랑

1장. 꿈
우리는 영원히
행복할 거야

열여섯 살이든 마흔 살이든, 소울메이트를 만나면 그와의 사랑이 평생 갈 것처럼 보인다. 밤늦도록 이어지는 전화 통화의 달콤함, 달무리처럼 환히 번지는 입가의 미소, 이 맛을 한 번 보면 우리는 결코 헤어나올 수 없다. 이 사랑을 처음 발견한 순간, 우리는 이전으로 돌아갈 수 없게 된다. 아니, 설사 시간을 돌릴 수 있더라도 이미 상상의 나래를 한껏 펼치고 있기 때문에 돌아가고 싶지 않다. 우리는 행복한 미래를 상상하는 즐거움을 만끽하며 이 사람과 여생을 함께하겠다고 마음을 굳힌다. 첫 번째 사랑의 감정은 너무나 강렬하기 때문에 영원한 사랑을 찾았다고 착각하기 쉽다.

그러나 중요한 건, 첫 번째 사랑이 꼭 우리의 영원한 안식처가 되지는 않는다는 사실이다. 시간이 흐른 뒤에야 첫사랑의 상대가 사실 우리의 반쪽을 향한 가족들 또는 사회의 기대에 부합하는 사람이라는 걸, 그저 우리 삶에 '잘 맞는' 것처럼 보이는 사람이었을 뿐이라는 걸 깨닫는 경우가 많다.

많은 사람들이 어렸을 때 부모와 문제를 겪으면 커서 다른 사람을 사랑하는 게 힘들어진다는 말을 그저 비겁한 핑계쯤으로 여기고 싶어 하지만, 어렸을 때 우리가 겪는 모든 사건은 사랑에 대한 우리의 인식뿐만 아니라 우리가 원하는 사랑의 모습에도 영향을 미치는 게 사실이다.

첫 번째 사랑을 경험한 지 수십 년이 흘렀지만, 당시 전화벨이 울릴 때마다 오두방정 떨던 내 모습, 침대에 몸을 뉘고 벽에 발을 올린 채 창밖을 바라보며 아무래도 운명의 상대를 만난 게 틀림없다고 생각했던 모습이 지금도 아주 생생하게 기억난다. 그때도 어렸지만, 그보다 더 어렸을 때, 그러니까 지나치게 낭만적이었던 10대 시절에 눈물을 펑펑 쏟으며 봤던 영화 속 장면들이 드디어 내 인생에 파노라마처럼 펼쳐지는 것 같았다.

그 남자는 당시 내가 만든 체크리스트의 수많은 항목을 충족시키는 사람이었다. 자라온 환경이 나와 비슷했고, 같이 아는 친구도 여럿 있었다. 그 애와 사귀는 건 정말이지 수월했다! 돌이

켜보면, 모든 게 어찌나 자연스러웠는지 오히려 그 애와 사랑에 빠지지 않는 게 불가능했을 거라는 생각이 들 정도다. 그러나 서로 비슷하다고 해서 반드시 그 사랑이 오래가는 것도 아니고, 개인적인 만족을 느낄 수 있는 것도 아니라는 사실은 시간이 흐르고 경험이 쌓인 뒤에야 깨달을 수 있었다.

그냥 엄청 편하니까

소울메이트와 함께 있을 때 운명의 상대를 만난 것 같은 느낌 또는 모든 게 완성되었다는 느낌이 드는 건 사실 편안함 때문인 경우가 허다하다. 소울메이트는 우리와 여러 생애를 함께 거쳐 온 사람이긴 하지만, 카르마 사랑이나 트윈플레임 사랑과는 다르게 이 사랑에는 특별히 얻어야 할 중요한 교훈이 있지도 않고, 상대방과 넋이 나갈 정도로 활발히 에너지를 주고받지도 않으며, 서로 통한다는 느낌이 강렬하게 들지도 않는다. 그보다는 몇 번의 생애를 함께한 오랜 친구가 있는 고향으로 돌아와 그와 우연히 마주친 것처럼 "아, 여기에 있었구나. 널 얼마나 찾았는데" 하는 감정이 든다.

소울메이트와 사랑에 빠지는 건, 이들이 우리가 원하는 사람이라거나 우리에게 필요한 사람이라서가 아니라, 우리와 매우 친밀하고 우리에게 위로가 되는 사람이기 때문이다. 그리고 소울메이트 사랑에서 다음 단계로 넘어가기 어려운 것 또한 바로 이런 이유 때문이다.

영화 〈러브 앤 배스킷볼Love and Basketball〉은 이런 유형의 사랑을 완벽하게 묘사한다. 이 영화에는 배우 산나 라단과 오마 엡스가 각각 모니카와 퀸시라는 이름의 주인공으로 등장한다. 옆집에 사는 이웃으로 만난 두 사람은 연인 사이로 발전해서 농구를 향한 깊은 애정을 공유한다. 그러나 대학에 입학한 후 둘은 각자의 길을 걷게 된다. 함께 시간을 보낼 수 없다는 괴로움에 더해 학업과 선수 생활 모두 제대로 해내야 한다는 압박감에 시달리던 두 사람은 자신들의 사랑이 사실 익숙함에 기반한 관계일 뿐임을 깨닫고 안타깝게도 결국 이별을 택한다. 이들은 훗날 성인이 되어 재회하는데, 이 장면은 이 영화의 명장면으로 손꼽힌다. 다시 만나 일 대 일 농구를 하는 모니카와 퀸시는 우리에게 소울메이트 사랑의 본질과 교훈을 뚜렷이 보여준다.

소울메이트 사랑을 이해하기 위해서는 우선 삶은 현생이 전부가 아니라는 걸 받아들여야 한다. 우리 개개인은 그저 육체에 갇혀 있는 존재가 아니라 여러 생애를 거듭하며 살아가는 영혼이며 정신이다. 우리에게는 각각 다른 모습으로 환생했지만 여러 생을 함께하고 있는 소울패밀리가 존재한다. 소울패밀리는 생을 거듭하면서 친구, 연인, 때로는 부모 자식 사이로 다시 만나는데, 중요한 건 어쨌든 서로 가까이 있게 된다는 점이다. 소울메이트 역시 소울패밀리의 일원이다. 소울메이트 사랑에서 벗어나기가 그토록 힘든 것은 편안함의 수준이 남다르게 높기 때문이다. 그러나 안타깝게도 오로지 편안하기만 한 곳에 머무른다면 우리의 영혼은 계속 성장해 나갈 수 없다.

사랑이 반드시 힘들어야 한다는 건 아니지만, 진정한 자기를 찾아 성장하려면 도전적인 과제를 받아들이면서 이전의 한계를 뛰어넘어야만 한다. 우리의 소울메이트들은 아주 멋지고 사랑스럽지만, 우리를 안전지대 밖으로 밀어내는 역할을 하지는 않는다. 소울메이트에게 돌아가는 일은 몇 번이고 반복할 수 있다. 그러나 그들 곁에서는 결국 늘 똑같은 감정만 느낄 뿐이다.

첫사랑이 얼마나 복잡한지 생각할 때면 1990년대 드라마 〈도슨의 청춘일기Dawson's Creek〉가 떠오른다. 드라마에서 케이티 홈즈가 연기한 조이라는 인물은 사랑스럽지만 복잡한 사춘기 소녀로, 제임스 반 데 빅이 연기한 어릴 적 소꿉친구인 도슨과 사랑에 빠진다. 여러 시즌이 진행되는 동안 조이와 도슨은 사귀고 헤어지기를 반복하며 연인과 친구 사이를 끊임없이 오가는데, 이 자체가 소울메이트 관계를 굉장히 잘 묘사해준다.

우리는 소울메이트와 떨어지기를 싫어할 뿐만 아니라 그들

없는 삶을 상상하기조차 어려워한다. 소울메이트와 갈라지거나 서로 다른 방향으로 나아가기 시작하면 처음에는 상실감이 드는데, 바로 그 상실감 때문에 삶이 힘들게 느껴질 때마다 다시 소울메이트를 찾게 되고 그와 다시 한 번 잘 해보겠다고 마음먹게 된다.

소울메이트는 인생 초반에(고등학생 시절 또는 다양한 이성을 찾아 헤매는, 도무지 이해하기 힘든 대학 시절을 떠올려보라) 만날 가능성이 크기 때문에 훗날 잠깐씩이라도 서로에게 되돌아가기 쉽다. 게다가 소울메이트는 늘 같은 자리에 있기 때문에 서로를 만일의 경우에 의지할 수 있는 대비책으로 느끼기 쉽다. 그러다 보면 운명이라서 서로에게 거듭 돌아가게 되는 거라고 오해하기 시작하고, 그렇게 소울메이트와 결혼까지 하는 경우도 있다.

드라마 속에서 조이는 마침내 도슨을 잊고 영원한 행복을 찾아가는 경지에 이르지만, 이는 자신이 무엇을 원하고 무엇을 할 수 있는지 스스로에 대해 많은 생각을 하기 시작한 뒤에야 가능한 일이었다.

첫사랑이 이토록 복잡하고 문제투성이인 데는 동화 속 이야기가 너무나도 매혹적이라는 점도 크게 한몫한다. 우리 모두는 사랑에 빠지길, 그리고 그 사랑이 영원히 지속되길 바란다. 그러다 사랑이 뜻대로 이루어지지 않으면 도대체 그런 사랑에 무슨 의미가 있는지 이해하지 못해 힘들어한다. 첫사랑이 우리 삶 속에 들어오는 순간, 그들은 운명의 상대처럼 보인다. 운명의 손에 이끌려 우리에게 온 것 같기 때문에 우리는 모든 것을 바쳐 그 사랑에 뛰어든다. 대개 어린 나이에 만나는 이 사랑의 특성상 모든 것을 다 바친다고 해서 반드시 결혼까지 이어지는 건 아니지만, 어쨌든 이 시기에는 연애에 완전히 전념하며 상대방과 함께하는 미래를 꿈꾼다. 이는 곧 우리가 영원한 사랑이 가능하다고 믿는다는 의미이고, 이게 첫사랑인 동시에 끝사랑이길 바란다는 의미다.

모두가 영화 같은 사랑을 꿈꾼다

우리는 운명의 상대와 우연히 만나길, 그리고 첫눈에 반하는 사랑에 빠지길 바란다. 고등학생 때 만난 연인과 결혼까지 하고 싶어 한다. 영화에서 본 것 같은 사랑을 하고 싶어 한다. 그리고 훗날 실제로 영화처럼, 동화처럼 살기를 꿈꾼다. 이는 그런 러브스토리가 그저 아름다워서가 아니라 우리가 계획한 인생의 모습을 담고 있기 때문이다.

내 고객 브릿은 당시 사귀고 있던 사람과 함께 나를 찾아왔다. 두 사람은 서로를 트윈플레임이라고 믿고 있었지만, 더 많은 것을 배우고 싶어서 내게 연락했다고 했다. 그런데 첫 번째 통화 상담을 마친 뒤, 브릿이 내게 메시지를 보내 애인 없이 따로 상담을 받아도 되겠느냐고 물었다. 그녀는 지금의 관계에 걱정과 의심이 든다고 했다. 브릿의 남자친구는 브릿을 말 그대로 그녀를 공주처럼 대해줬다. 브릿이 동화 속에 사는 듯한 느낌이 든다고 얘기할 정도로. 그러나 중요한 건, 심지어 어린아이들이 읽는 동화책에도 어두운 면이 깃들어 있다는 사실을 우리가 너무 자주 잊어버린다는 것이다.

몇 달간 상담한 끝에 브릿은 충분히 강해졌고, 이 사랑이 자신이 근본적으로 원했던 모습이 아니며, 나아가 자신의 영혼에도 좋은 영향을 미치지 않는 것 같다고 말할 수 있게 됐다. 브릿은 여태껏 진정한 자신의 모습대로 살 수 없었고, 남자친구에게 온전히 의지할 수도 없었으나, 남자친구와 함께 만들어가던 동화가 너무나 좋았던 것이다.

물론 상담을 진행하면서 브릿이 두 번 다시 사랑하지 않겠다고 큰소리친 때도 있었다. "아무도 필요 없어요. 있는 그대로의 제 모습대로 살겠어요. 이토록 행복한 건 살면서 처음이에요." 이때까지만 해도 브릿은 자신이 이제야말로 정말 아름다운 러브스토리를 맞이할 준비를 마쳤다는 사실을 모르고 있었다. 대개 사랑은 우리가 찾는 걸 멈추고 난 뒤에야 다가온다.

그로부터 몇 달 뒤, 브릿은 세 번째 사랑을 만났다. 남자는 아주 자연스럽게 브릿의 마음속에 들어왔다. 이들의 사랑이 이토록 자연스러웠던 건 둘 사이에 넘어야 할 장애물이 전혀 없어서가 아니라 두 사람 다 이번에는 더 잘해보겠다고 다짐한 덕분이었다.

현실의 사랑을 들여다보면, 우리가 생각했던 아름다운 러브스토리와 다른 경우가 허다하다. 동화 같은 러브스토리를 실현하지는 못하더라도 동화의 어두운 면을 이겨내는 일 정도는 누구나 할 수 있다. 우리가 생각했던 모습과 전혀 딴판일 가능성이 커서 그렇지 영원한 사랑을 하는 건 가능하다. 문제는 이러한 이상조차 우리 안에서 나오는 게 아니라는 사실이다. 우리는 결국 전통적인 인생의 계획대로 여전히 살아 나간다. 고등학교를 졸업하고, 대학에 가고, 취업을 하고, 결혼할 상대를 찾고, 그와 정착하고, 집을 사고, 아이를 낳으면 이야기는 끝난다. 다들 이렇게 살고 있지 않은가? 그러나 중요한 건, '그리고 행복하게 살았습니다'라는 이야기는 결코 다른 사람의 믿음이나 신념에 기초할 수 없다는 사실이다. 우리 이야기는 반드시 우리가 써 내려가야 한다.

물론 소울메이트 사랑에 한창 빠져 있는 동안에는 우리가 이미 모든 걸 다 알고 있다고 믿기 쉽다. 그때 우리가 얼마나 무지

했는지, 여전히 배울 게 얼마나 많았는지 깨달으려면 시간이 흘러야 한다. 소울메이트와 교제할 때 우리가 생각하는 사랑의 개념은 주변 사람들에게 전해 들은 좋은 사람 또는 좋은 인생의 조건에 기초한 경우가 태반이다.

우리는 어렸을 때 동화책이나 영화에서 보고 들은 이야기, 가족과 친구들에게 전해 들은 이야기에 영향을 받아 무의식적으로 낭만적인 사랑의 개념을 형성해 나간다. 주변의 관계를 보며 익히기도 한다. 아이와 부모가 함께 앉아서 끈끈한 연애를 하려면 어떤 요소를 갖춰야 하는지, 자기 사랑을 실천하는 게 얼마나 중요한지에 대해 토론하는 집은 거의 없다. 오히려 좋은 남자 또는 좋은 여자를 만나 정착해야 한다는 기대가 담뿍 담긴 설교를 듣게 마련이다. 그러니까 소울메이트는 우리의 짝이 되어 평생을 함께하기에 적합해 보이는 좋은 남자 또는 좋은 여자일 뿐이다.

소울메이트 사랑은 우리 마음을 완전히 사로잡지는 못하지만 어느 정도는 만족을 주는 그런 달콤한 사랑이다. 이 사랑은 우리의 자아를 기반으로 하는 경우가 많다. 이 시기에 우리는 아직 타인의 기대에 부응하기 위해 행동하기 때문에 소울메이트 사랑을 통해 얻는 자아의 만족 역시 외부에서 오는 것으로 제한된다. 소울메이트 사랑의 초기 단계에는 마치 인생을 다 안 것만 같고 세상을 다 가진 것만 같다. 가정에서, 심지어 사회 전체에서 우리의 자리가 어디인지 알게 된 것만 같다. 우리의 미래가 눈앞에 생생히 펼쳐지면서 한결 마음이 놓인다. 왜냐하면, 이 시점에는 모든 게 아주 편안하고 수월해 보이기 때문이다.

부모님을 비롯한 다른 가족들 모두 우리의 소울메이트를 좋아한다. 이는 전혀 놀랄 일이 아니다. 이런 사람을 데려와야 한다며 가족들이 우리에게 무던히 강조했던 바로 그런 사람을 데려갔을 테니까. 우리의 소울메이트는 항상 옆에 있었던 사람인 것처럼 아주 수월하게 가족들 틈에 녹아들며, 심지어 가족의 일원인 것 같은 착각이 들 정도로 가깝게 느껴진다. 소울메이트에게 마음이 끌려 시작한 연애에선 가족적인 사랑을 경험하는 경우가 많은데, 이 시기에는 이것도 매력으로 비춰진다. 심지어 이때는 가족의 기대에 부응하는 연애를 하려고 애쓰기까지 한다. 즉, "이렇게 하고 싶어"라는 마음보다는 "이렇게 해야 한다"라는 동기 부여 요인에 의해 행동한다.

소울메이트와 인생을 설계해서는 안 된다는 말을 하려는 게 아니다. 그렇지만 조금만 깊이 생각해보면, 그들과 삶을 함께 나누는 것이 정말로 끈끈한 사랑이나 유대감 때문은 아니라는 사실을 깨닫게 될 것이다. 그보다는 다른 사람들 눈에 우리가 잘 어울리는 커플로 보이기 때문일 것이다. 소울메이트 사랑에 빠지는 시기에 우리에게 가장 중요한 건 바로 타인의 의견과 인정이다. 이를 통해 우리의 자아가 단단해지기 때문이다. 게다가 이전까지는 우리가 정말로 어떤 사람인지 제대로 알 만한 시간도 경험도 없었다.

익숙함에 젖어든다

우리는 타인의 의견이 아니라 스스로 선택한 대로 행동하더라도 그만한 만족감을 얻을 수 있다는 사실을 아직 모른다. 사실 소울메이트 사랑을 하는 동안에 우리는 어떤 사람인지 자문하지 않는다. 이 시기에는 스스로 모든 걸 다 알고 있다고 생각하기 때문에 그런 의문을 품을 여지조차 없다. 우리는 또래 친구들과 동일한 행동, 비슷한 선택을 하면서 친구들과 함께 성장하고 있다고 생각한다. 부모님도 우리의 연애 상대를 좋아하기 때문에 이 사랑은 더없이 완벽해 보인다. 우리 마음을 사로잡은 사람이 실은 우리가 가족들에게 들었던 좋은 사람의 조건을 만족시키는 인물에 지나지 않는다는 걸 아직 깨닫지 못한다.

소울메이트가 우리의 여정에서 중요한 역할을 하는 것은 맞지만, 찬찬히 뜯어보면 부모님이나 친척 어른들 같은 우리의 양육자와 상당히 비슷한 경우가 많다. 소울메이트에게서 부모님의 장점이 보이는 경우도 많다. 아버지 같은 남자, 어머니 같은 여자와 결혼하게 된다는 옛말은 바로 여기서 비롯됐다. 엄밀히 따지면 부모와의 사랑이 우리의 첫사랑이고, 우리가 알고 있는 유일한 사랑이기 때문에 부모님이든 다른 어른이든 우리를 길러준 양육자, 즉 우리가 맺은 일차적 관계의 대상과 가장 유사한 사람과 사랑에 빠지게 되는 것이다. 양육자를 닮은 첫사랑을 찾는 일은 어딜 가나 존재한다. 익숙한 것을 계속해서 추구하는 행동 패턴 때문이다. 그렇게 하면서 엄청난 만족감을 느끼기도 하는데, 주어진 규칙대로 사랑하고 있다고 느끼는 이 시기에만 이런 만족감을 느낄 수 있다.

어쩌면 소울메이트와 갈라서기 힘든 근본적인 원인이 여기에 있는지도 모른다. 사랑에 정해진 규칙이 없다는 사실을 깨닫고 나면, 그때부터 우리는 우리가 알고 있는 것에 의문을 품기 시작한다. 처음에는 대개 '평생 행복하게' 사랑해야 한다고 생각한다. 소울메이트를 떠나면 안 될 이유, 계획에서 벗어나면 안 될 이유, 궁극적으로는 인생의 비전을 향한 코스를 그대로 밟아야 할 온갖 이유를 찾으며 스스로를 그렇게 설득한다. 그러나 오랫동안 세뇌되어서 그렇지 사실 이러한 비전이 우리 모두에게 꼭 들어맞는 건 아니다.

동화 같은 사랑은 없다

어렸을 때 나는 결혼한 뒤의 삶에 대해서는 많이 생각하지 않았다. 상담하면서 만나게 된 수많은 여성들도 나와 별반 다르지 않았다. 우리는 대부분 동화 같은 이야기를 기대하며 사랑에 빠진다. 신데렐라에게 "네, 결혼하겠어요"라고 대답한 이후에도 행복했느냐고 물어볼 생각 같은 건 단 한 번도 해보지 않은 채 말이다. 나는 첫사랑이 내 성장을 도와줄 것인지, 그가 좋은 아버지가 될 것인지 생각해보지 않았다. 살면서 마주칠 문제들을 우리가 어떻게 풀어 나갈 것인지, 그가 어떤 신념을 갖고 있는지 궁금해하지 않았다. 겉모습에만 치중했다. 그렇다고 일부러 외모를 제외한 모든 면을 무시했던 것은 아니다. 당시 나는 나 자신과 내 인생의 내면조차 들여다보지 못했던 터라 상대방의 내면을 알아볼 수 있는 수준이 아니었다.

이처럼 동화 같은 사랑을 기대하는 단계에서 우리는 우리가 지금 가장 멋진 삶을 살고 있는지 의문을 품지 않고, 당연히 인생의 목적이 무엇인지도 생각하지 않는다. 우리가 즐겨 보는 수많은 영화에서도 이런 모습을 볼 수 있다. 일례로 〈굿 디즈Good Deeds〉를 보자. 이 영화에선 서로 사랑하는 주인공이 삶의 목적을 공유하거나 서로의 목표에 대해 대화를 나누는 장면은 나오지 않는다. 아, 아니다. 삶의 목적을 공유하기는커녕 우리는 어렸을 때부터 '왕자님', 그러니까 위험에 처한 여자를 구해주고 전통적인 성 역할을 고집하는 그런 남자를 기다려야 한다고 배우며 성장한다. 그건 사랑이 우리에게 필요한 전부라는 믿음, 반드시 누군가와의 사랑을 꿈꿔야 한다는 믿음이라고 할 수 있다.

레이철은 '그리고 행복하게 살았습니다'로 끝나는 행복한 결말을 이미 이뤘다고 생각했다. 대학생 때 유학을 가서 만난 남자는 그녀가 평생 꿈꿔왔던 동반자의 모습을 빠짐없이 갖추고 있는 것 같았다. 두 사람은 졸업 후 결혼해서 아이를 낳았고, 삶은 한참 동안 순조롭게 흘러가는 것 같았다. 그러나 어느 순간, 그렇지 않은 현실을 무시하기 불가능한 지점에 이르렀다. 레이철이 결혼하고 집을 사고 아이를 낳아야 한다는 생각에 너무나 강하게 사로잡혀 있었던 나머지 오랜 세월에 걸쳐 꾸준히 드러난 남편의 건강하지 못한 본 모습을 모른 척한 게 화근이었다.

레이철은 '그리고 행복하게 살았습니다'라는 동화 같은 이야기를 손에 넣긴 했으나, 그 이야기는 생각처럼 오래 유지되지 않았다. 사실 '그리고 행복하게 살았습니다'라는 건 앞으로 놀랄 일이나 계획에서 벗어나는 일, 실망, 가슴 아픈 일 따위는 당연히 없을 것이라는 허상에 지나지 않는다. 무슨 수를 쓰더라도 생길 일은 결국 생긴다는 걸 아는 사람들은 이게 전혀 개연성 없는 이야기라는 데 동의할 것이다.

진실은, '그리고 행복하게 살았습니다' 같은 사랑은 우리가 경험할 수 있는 최고의 사랑이 아니라는 것이다. 우리가 원하는 사랑은 모든 게 완벽해 보이고 절대 틀어지지 않는 사랑이 아니다. 우리는 어둠 속에 있을 때 우리 손을 잡아주고 빛을 볼 수 있도록 도와줄 사람을 원한다. 우리가 며칠 내내 똑같은 잠옷 바지를 입고서 식은땀을 줄줄 흘리며 끙끙 앓고 있을 때 우리를 보살펴줄 사람을 원한다. 우리가 사랑하면서 정말로 바라는 건 동화 같은 사랑을 나눌 사람이 아니라 피해 갈 수 없는 일상의 어려움을 헤쳐 나갈 때 작은 즐거움을 불어넣어줄 수 있는 사람이다.

소울메이트, 세월을 건너뛰는 편안함

첫사랑을 끝내고 난 이후라면, 이런 얘기를 하기가 한층 쉽다. 그러나 한창 사랑에 상황에 빠져 있을 때는 첫사랑이 영원하지 않다는 걸 깨닫기가 매우 어렵다. 바로 이런 이유 때문에 가슴 아픈 이별을 겪고 난 뒤에 우리가 소울메이트에게 돌아가는 것이다. 내 경우에도 아주 지난하고 고된 연애에 마침내 종지부를 찍고 난 뒤에 소울메이트가 (고마운 소셜미디어 덕분에) 다시 내 삶 속에 들어온 적이 있었는데, 그때 나는 마치 고향에 돌아간 듯한 안정감을 느꼈다. 13년이나 세월이 흘렀다는 건 아무런 문제도 되지 않았다. 우리는 13년 전과 조금도 달라지지 않은 편안함을 느끼며 연락이 닿자마자 시간 가는 줄도 모르고 못다 한 이야기를 주고받았다.

내가 일부러 그 사람을 찾았던 적은 한 번도 없지만, 그렇다고 그동안 그 사람을 완전히 잊고 살았던 건 또 아니었다. 심지어 요즘도 문득문득 생각날 때가 있다. 원래 소울메이트와의 관계는 이렇다. 소울메이트들은 50년이 지난 뒤 양로원에서 다시 만나더라도 마치 어제 만난 사람처럼 곧장 죽이 잘 맞는다.

그는 내가 정말로 참혹한 이별의 아픔을 겪고 있을 때, 더는 나 자신이 어떤 사람인지 알 수 없을 만큼 최악의 상태에 빠져 있을 때 다시 내 인생에 찾아왔다. 다시 연락이 닿고서 몇 주 동안 문자메시지만 주고받던 어느 날, 그가 술 한잔하자며 나를 밖으로 불러냈다. 무슨 일이 생길지 알 수 없었지만 기분이 좋았고, 또 무슨 일이 생기든 그와 함께라면 안전할 거라고 확신할 수 있었다. 게다가 당시 내게는 이 만남이 절실히 필요하기도 했다. 그렇게 우리는 어느 바에서 만나기로 약속했다.

바에는 조명이 어스름히 깔려 있어서 엉망진창인 내 얼굴을 그가 제대로 보지 못할 것 같았다. 힙스터 꿈나무라면 으레 좋아할 것 같은 엘더베리 마티니를 주문해 홀짝이고 있는데, 또 다시 어떤 확신이 머릿속을 스쳤다. 아무래도 이 남자가 내 미래인 것 같았다. 그러나 뒤이은 그의 행동이 단꿈에 빠져 있던 나를 순식간에 깨워버렸다. 그는 화장실에 다녀오겠다며 자리에서 일어나더니 도대체 얼마나 여러 번 접고 펼쳤는지 잔뜩 구겨진 쪽지를 내게 건네며 이렇게 말했다. "자, 너 주려고 가져왔어. 지금 너한테 필요한 건 네가 어떤 사람인지 기억하는 일인 것 같아서."

나는 미소를 지으며 쪽지를 받았다. 테이블에 놓여 있던 촛불빛이 푸른 잉크 자국 위에 부드럽게 번졌다. 가만 보니 그 종이는 15년 전 내가 어떤 사람인지 적어서 그에게 건넨 쪽지였다. 쪽지에는 내가 어떤 사람인지, 내가 무엇을 좋아하는지, 어떤 사랑을 받고 싶은지, 날 놓치고 나면 언젠가 그가 얼마나 후회할지 빼곡히 쓰여 있었다. 그의 말마따나 내가 어떤 사람인지 잊고 있던 내게 꼭 필요한 것이었다. 그때 나는 내 가치는 물론이고 타고난 열정까지도 잃어가고 있었다.

돌이켜보면, 이 멋지고 안전한 남자는 내가 어릴 적 내 모습을 기억할 수 있도록 도와주기 위해 다시 내 삶에 찾아왔던 것 같다. 세상이 머릿속을 헤집어놓고 나 자신을 의심하게 만들기 이전에 내가 알던 내 모습을 상기시켜주려고 말이다. 그가 돌아와준 덕분에 나는 그저 미래의 일부인 앞날을 향해 가는 게 아니라 내 진짜 모습을 찾아가는 여정에 다시 오를 수 있었다. 과거에서 미래로 나아가려는 내게 그는 완충 장치 같은 역할을 해줬던 셈이다.

이별을 겪고 아파하는 내 곁으로 돌아와 그가 상처를 치유해 준 덕분에 나는 다시금 앞으로 발을 내디딜 수 있었다. 마음속 아주 깊은 곳에 생채기가 났을 때 안전지대를 찾으면 기분이 한결 나아지지 않는가. 그래서 나는 우리가 서로의 영원한 짝이라고 나를 (그리고 그를) 설득하려고 애썼던 것 같다. 우리가 끝내 잘되지 않았던 건 서로 맞지 않아서가 아니었다. 그는 내 첫사랑이자 소울메이트였고, 그런 그의 역할은 내가 가장 힘든 시기를 보내고 있을 때 내가 다음 단계로 넘어갈 수 있도록 날 찾아와 등을 밀어주는 것이었다.

많은 사람들이 첫사랑보다 더 크고 더 좋은 사랑이 존재할 수 없을 것 같다는 단순한 이유로 소울메이트를 떠나려 하지 않는다. 그러나 왜 이런 감정을 느끼는지 그 이유를 명확히 설명하지는 못한다. 우리가 스스로 어떤 사람인지 알기 두려워한다는 사실, 우리가 기대했던 계획에서 벗어나는 삶을 살기 두려워한다는 사실을 제대로 인식하지 못하기 때문이다. 우리가 삶에서 정말로 원하는 게 무엇인지 모르는 상태에서는 당연히 이를 말로 표현할 수 없다. 너무 많은 가능성을 갖고 있으면 두려워지게 마련이다. 음, 무엇이든 가능하다면 여기서 도대체 어디로 가야 한단 말인가?

나중에 돌아보면, 소울메이트 곁에 있어야 할 시간보다 더 오랫동안 머물렀다는 생각이 들 텐데, 이는 그렇게 오랜 시간을 함께했던 건 우리 영혼이 성장하지 않더라도 그들이 제공하는 안전지대에서 안정감을 느낄 수 있다는 이유 하나 때문이다. 소울메이트가 우리에게 그들 곁을 떠나 성장하라고 부추길 리 없기 때문에 이 연애에 갇혀버릴 수도 있다. 때로는 맹목적인 사랑에 빠진 삶에 만족하기도 하고, 어딘가에 머물러 있는 상황에 만족하기도 한다. 그러나 이는 확실한 느낌이 와서가 아니라 단지 옳아 보이기 때문이다.

이 단계에서 우리는 주로 사랑에 머물러 있는 편을 택한다. 이때는 우리 삶을 우리가 어떻게 바라보고 느끼는지보다 타인의 시선을 더욱 중요하게 여기기 때문이다.

'그리고 행복하게 살았습니다' 그 이후

첫 번째 사랑은 여정의 시작일 뿐이다. 이는 다른 사람을 행복하게 만들기 위해 우리가 의식적으로 하는 선택이 아니라 현 상태를 그대로 유지하기 위한 선택에 불과하다. 그동안 코칭 프로그램을 진행하면서 멋진 여성을 많이 만났는데, 그들은 대부분 소울메이트와 결혼하고 아이를 낳은 이후에 나를 찾아왔다. 그러면서 하나같이 내게 어째서 지금은 전처럼 행복하지 않은지 모르겠다고 말했다.

한번은 통찰력 있고 의식 있는 애나라는 여성이 내게 연락을 해왔다. 나를 찾은 건 "영적 암흑기"에 빠졌다는 이유에서였다. 땅이 꺼지는 것 같고, 자신이 누군지 또 어디로 가는지 왜 여기에 있는지 아무것도 모르겠고, 이대로 세상이 끝날 것만 같은 느낌이 드는 그런 시기에 빠져 있었던 것이다. 영적 암흑기에 빠지면 바깥세상은 모든 게 좋아 보이기 때문에 자신이 처한 상황을 풀어 나가기가 한층 더 어려워진다.

애나는 평생 올바른 선택을 하며 살아왔는데도 생각만큼 자신의 인생이 행복하지 않다는 걸 깨달았다. 애나는 대학을 졸업한 멋진 남자와 결혼했고, 둘 다 사회에서 중요한 위치에 있었으며, 집도 있고, 슬하에 자녀도 있었다. 그런데도 숨 막힐 듯한 답답함이 마음속 깊이 사무쳤다. 그녀는 어찌할 바를 몰라 했다. 상담하다 보면 정말 많은 고객이 이런 말을 한다. "그렇지만 전 제가 해야 할 일을 전부 다 했는걸요." 그럼 난 늘 이렇게 대답한다. "맞아요. 제 문제도 바로 그거였어요."

소울메이트들은 아주 수월하게 상당히 풍족한 삶을 꾸려 나가는데, 우리는 우리에게 정말로 필요한 게 풍족한 삶이 아니라는 사실을 내내 모르고 있다가 한참 지난 뒤에야 깨달을 때가 많다. 몇 번째인지 모를 정도로 부엌을 거듭 리모델링한 뒤에야, 또는 모두가 가는 것 같은 바로 그 여행지로 마침내 휴가를 다녀온 뒤에야 모든 걸 다 가진 것 같은데도 마음이 뒤숭숭해지면서 이런 생각을 하게 된다. "세상에. 이게 정말 내 인생인가? 앞으로 내 인생은 쭉 이렇게 흘러가는 걸까?" 우리가 즐겨 보는 동화 또는 영화들이 결혼과 동시에 끝난다는 게 큰 문제다. 대부분 진하게 키스를 나누는 장면으로 스토리가 끝나거나 "네. 결혼하겠어요"라는 대사를 끝으로 화면이 서서히 암전된다. 동화는 '그리고 행복하게 살았습니다' 이후, 결혼한 지 10년이 지나 아이 둘을 낳은 뒤 그들이 어떻게 살아가는지 보여주지 않는다.

첫사랑과 결혼한 사람들은 인생의 허다한 풍파와 곡절을 헤치며 함께 성장할 수 있는 사람을 찾은 것이기에 본질적으로 운이 좋다고 할 수 있다. 그러나 이 범주에 속하는 몇 안 되는 부부들 가운데 몇 사람이나 자신들의 사랑이 '그리고 행복하게 살았습니다'라는 결말로 끝났다고 말할지는 모르겠다. 심지어 이렇게까지 말하는 부부도 있었다. "우리 부부는 여태 결혼 생활을 견뎌냈어요." 어떤 경우에도 우리는 사랑으로 규정되는 관계에서 견딘다는 느낌을 받아서는 안 된다. 첫 번째 사랑에서 영원한 사랑을 찾은 극소수의 운 좋은 부부들을 보면 그들은 꾸준히 성장하면서 자기 자신과 상대방의 모습을 있는 그대로 온전히 받아들인 경우였다.

소울메이트와 첫사랑을 시작할 때 우리는 이 관계의 전모를 제대로 보지 못한다. 소울메이트라는 존재는 우리가 가정과 사회에서 배운 기준에 맞춰 선택한 사람이라는 사실이 보이지 않는다. 자기 자신을 제대로 모르는 상태에서는 인생을 함께할 동반자를 찾을 수 없다는 사실을 이해하지 못한다. 그리고 무엇보다 중요한 건 우리가 원한다고 해서 '그리고 행복하게 살았습니다'로 끝나는 삶을 살 수는 없다는 것이다. 인생은 결코 동화가 아니다.

그래서 우리는 그저 사랑 하나만 바라보며 무수한 경고 신호를 무시하려고 애쓴다. 뭔가 잘못되었다는 느낌이 오거나 상대방과 함께 늙어가는 모습이 선뜻 그려지지 않더라도 그냥 눈감아버리고 만다. 이 관계에 균열이 생기는 걸 보고 싶지 않기 때문이다. 소울메이트와의 연애에 금이 가고 있다고 인정하고 나면 어떤 조치라도 취해야 하기 때문이다. 그러니까 이 사랑에 푹 빠져 있을 때 실제로 우리가 얻을 수 있는 것은 결국 안전지대 하나뿐이다.

우리는 소울메이트와 함께 있을 때 진짜 우리 모습을 드러내기 어렵다거나 상대에게 온전히 이해받지 못한다고 느끼면서도 이를 모른 척하고 넘어간다. 우리가 소울메이트보다 훨씬 더 성장한 걸 알면서도 그저 사랑을 잃고 싶지 않은 마음에 눈 감아버리기도 한다. 명확한 사실을 무시하려 애쓰고, 잘하고 있다는 어머니의 칭찬에도 배 속에 밀려드는 공허한 마음을 무시하려고 애쓴다. 그러다가 상대방이 우리의 관심사를 무시하거나, 중요한 문제에 부딪혀보니 소울메이트라고 할 정도로 서로 비슷하지는 않다는 사실이 뚜렷해지고 나서야 마침내 눈길을 거둔다.

우리가 이 사랑에 자신이 매달린다는 것을 알아차리고서도 놓지 못하는 건 대부분 소울메이트 때문이 아니라 이 사랑이 상징하는 동화 때문이다. 우리의 잠재의식은 소울메이트를 붙잡고 있는 손아귀의 힘을 풀어 그를 놓아주고 나면 결국 진정한 내 모습을 찾기 위한 험난한 여정을 시작해야 한다는 걸 알고 있다. 그래서 이를 끝까지 모른 척하고 싶어 하는 것이다.

우리가 정말로 어떤 사람인지 알아가는 여정을 일단 시작하고 나면, 아무리 세상 사람들 눈에 좋아 보이더라도 인연이 아니라는 느낌을 주는 사랑을 더 이상 유지할 수 없게 된다. 한번 나만의 진리를 찾겠다고 마음먹으면, 그렇지 않은 삶을 사는 게 불가능해지기 때문이다.

2장. 현실
아무리 애를 써도
안 되는 게 있다

오로지 계획대로 해야 한다는 생각에 사로잡혀 코앞에서 휘날리는 경고의 깃발을 제대로 보지 못한 경험, 조심하기는커녕 그 깃발을 향해 해맑게 손까지 흔들어본 경험이 모두에게 있을 것이다. 이런 경험이 알려주는 진짜 문제는 우리의 고집스러움이 아니라 우리가 어떤 사람인지 설명해주는 이가 없으면 우리는 무엇을 어떻게 해야 할지 전혀 모른다는 사실이다.

소울메이트에게는 아주 많은 장점이 있다. 그중 으뜸은 이들과의 사랑을 통해 우리가 어떤 존재인지 완벽히 파악하게 된다는 것이다. 스스로 어떤 사람인지 모른 채 다른 사람들이 우리에게 심어주는 비전에 맞춰 살아가다 보면 모든 걸 다 알고 있다는 착각에 빠지기 쉽다. 그러나 소울메이트 사랑에 장점만 있는 건 아니다. 초반부터 이 사랑이 잘되지 않을 만한 이유가 뻔히 눈에 보이는데도, 우리는 이 사실을 인정하고 싶어 하지 않는다. 이 사랑이 영원하지 않으리라는 생각은 떠올리는 것조차 싫고, 우리 머릿속에 만들어놓은 스토리를 댕강 잘라내버리고 싶지도 않기 때문이다.

당신의 희생으로 완성된 사랑은 결코 진정한 사랑이 아니다

결론은 우리가 동화 같은 사랑에 열광했을 뿐, 그 과정에서 우리가 어떤 사람인지, 사랑을 통해 무엇을 얻고 싶어 하는지 고민하는 일을 소홀히 한다는 것이다.

내 소울메이트는 분명 멋진 사람이었지만, 그때보다 더 솔직해진 지금의 위치에서 돌아보면 그와의 두 번째 (심지어 세 번째까지도) 만남이 결코 잘될 수 없었던 이유가 이해된다. 언젠가 그가 내게 이런 말을 했다. "너한테 아이가 없었더라면 우리는 정말 잘됐을 텐데." 그때는 그 말을 그냥 흘려 넘겼다. 내가 원하는 관계가 될 수 없다고 말하는 상대를 무시하고 싶었기에 했던 의식적 선택이었다. 솔직히 시간이 흐르면 그의 생각이 달라질 줄 알았다. 내 딸들이 얼마나 예쁘고 사랑스러운데, 도대체 어떻게 이 아이들을 우리 사랑에 따라오는 덤으로 여기지 않을 수 있단 말인가?

그러나 그때 그는 내게 솔직했던 거였다. 훗날 자기는 동화 같은 사랑을 꿈꾼다고 말했을 때처럼. 그는 결혼도 하고 아이도 낳고 집도 사고 싶다고 했다. 그가 듣고 싶어 하는 대답을 선뜻 하지 못한 채 더듬거리고 있는데, 마음속 깊은 곳에서 그의 옆자리는 내가 있어야 할 곳이 아니라는 사실이 또렷해지기 시작했다.

우리는 서로 다른 사랑을 꿈꾸고 있었다. 우리가 서로 아끼지 않는다거나 유대감이 없기 때문이 아니라 핵심 욕구가 다르기 때문이었다. 나는 내 말괄량이 딸들을 포함한 내 전부를 온전히 받아들여줄 사람을 원했다. 다시 결혼해서 전통적인 삶을 그대로 반복하기보다는 이곳저곳 자유롭게 다니면서 여러 가지 일을 하고 세상을 더 좋은 곳으로 만드는 데 힘을 보태고 싶었다.

물론 사랑하는 상대와 서로 맞지 않을 수도 있다. 이건 전혀 문제가 아니다. 소울메이트와 마찰이 생길 때 우리가 억지로 맞추고 싶어 한다는 게 문제다. 소울메이트는 좋은 사람이다. 그리고 같이 있으면 우리가 더 나은 사람이 된 것 같은 느낌이 든다. 그래서 이들을 쉽게 놓지 못한다. 자기 자신을 타인의 삶이라는 틀에 억지로 맞출 수 없다는 사실을 깨닫지 못한 채, 우리가 이들에게 꼭 필요한 사람이 될 수 있을지도 모른다고 자신은 설득하려 애쓴다. 그러나 우리는 상대가 원하는 사람이 될 수 없고, 우리 자신에게 진실하지 않은 삶을 살 수 없으며, 이미 끝이 보이는 사랑을 억지로 이어 나갈 수도 없다. 사실, 굉장히 많은 사람이 자신의 욕구를 진정 충족시켜주지 못하는 사랑을 하고 있다. 그리고 그건 사랑이 모자라기 때문이 아니라 우리에게 상대방을 바꿀 능력이 없기 때문인 경우가 많다. 상대방이 무엇을 원하는지, 사랑을 어떻게 생각하는지를 우리가 바꾸는 건 불가능하다.

그러나 특히 소울메이트 사랑의 초기에 우리는 자신에게 집중하지 않은 채 오로지 상대방에게만 초점을 맞춘다. 이 사람이 내 곁에 머무르고 싶게 만들려면 내가 어떻게 해줘야 할까? 내가 무엇을 양보해야 이 사람과 인생을 함께할 수 있을까? 내가 어떻게 달라져야 이 사람이 나와 함께하고 싶어 할까? 이런 것들만 생각한다.

상대방이 정말로 우리가 원하는 사람이 맞는지 한 번도 차분히 생각해보지 않는다. 그리고 상대방이 우리의 핵심 욕구를 채워줄 수 있는 사람인지도 생각해보지 않는다. 자아가 끼어드는 한 우리는 결코 이 일을 주체적으로 해결하지 못하고 끊임없이 다른 사람에게 떠넘기기만 한다.

사람들이 보기에 리아의 인생은 그야말로 완벽했다. 매력적인 남편에 사랑스러운 아이들, 멋진 직업까지. 충분히 부러움을 살 만한 인생이었다. 그러나 나이 들면 자연스레 깨닫듯, 겉으로 보이는 게 전부는 아니다. 특히 남녀 관계에서는 더욱 그렇다. 결혼 생활이 행복하지 않았지만, 그렇다고 가정을 떠날 만한 이유도 없었기에 리아는 스스로 달라지려는 노력을 하는 게 더 낫겠다고 판단했다. 리아는 남편이 좋아하지 않는다는 이유로 자신이 원하는 것들을 포기하기 시작했고, 남편이 수긍하지 않는다는 이유로 자신에게 중요한 이야기를 더 이상 입 밖에 내지 않았다.

물론 이 모든 게 의식적인 행동은 아니었다. 결론적으로는 그렇게 되었지만, 매일 아침 눈뜰 때마다 "결혼 생활을 유지할 수 있도록 내가 달라질 거야"라고 다짐했던 건 아니었다. 다른 사람들도 리아처럼 조금씩 양보하다가 점점 그 정도가 심해져서 어느 날 거울 속 자신을 보며 도대체 어쩌다 이런 지옥까지 오게 됐나 묻는 지경에 이른 것이다.

우리의 첫 연애가 이런 식으로 흘러가는 데는 어린 시절 귀에 못이 박히게 들었던 그만두지 말라는, 포기하지 말라는, 꾸준히 노력해보라는 가르침이 크게 한몫한다. 물론 이런 가르침이 부모님과 조부모님 세대의 결혼 생활을 지속시키는데 매우 중요한 역할을 했던 것도 일면 사실이다.

언젠가 할머니 댁 부엌에 앉아 할머니와 위스키 사워를 홀짝이던 날이 생각난다. 우리는 부엌 창문으로 스며 들어오는 태양빛을 받으며 사랑과 결혼에 대해 이야기를 나눴다. 당시 이혼한 지 얼마 안 됐던 나는 엄청난 실패자가 된 것 같은 느낌에 사로잡혀 있었다. 어쨌든 아주 많은 사람들이 다 해내는 '일'을 제대로 해내지 못했으니까. 그날 할머니는 내게 사람들이 살아생전에 이혼하지 않을 뿐이라고 말했다. 이혼하지 않은 부부라고 해서 그들의 관계가 온전하거나 사랑으로 가득하다는 의미는 아니라고 말했다. 그러면서 할머니가 아는 어느 부부의 이야기를 들려주었다. 두 사람은 결혼 생활이 아주 행복하다며 동네방네 떠들고 다녔는데, 사실은 그러는 동안 내내 남편이 침대 하나를 차고로 옮겨놓고 거기서 지냈다고 했다. 이 부부는 결혼한 상태로 계속 한집에서 살았지만, 진정한 결혼 생활을 하고 있는 건 아니었다.

살면서 무언가를 소유하는 데 과하게 집착한 나머지 결국 오로지 그걸 잃지 않기 위해 자신의 욕망과 욕구를 희생하는 경우가 허다하다. 소울메이트는 우리를 더 나은 사람으로 만드는 자극을 주지 않는다. 우리에게 한 발 물러나 현재의 상황을 바라보라고, 또는 궁극적으로 우리 자신을 찾기 위한 선택을 해보라고 권하지 않는다. 이런 것들은 그들이 우리를 찾아온 목적이 아니기 때문이다.

원하지 않는 일 또는 뜻대로 되지 않는 일을 먼저 경험해야 한다. 그래야만 앞으로 나아갈 의욕이 생기고, 과거와는 다른 선택을 할 수 있게 된다. 그러면 이제 한 가지 의문이 남는다. 과연 결코 지속될 리 없는 일을 도대체 얼마나 오랫동안 붙잡고 있어야 할까?

사랑의 여정을 걷기 시작할 때, 관계 속의 역할로 자신의 정체성을 대체하는 경우가 너무나 많다. '누구누구의 아내', '누구누구의 여자 친구' 이런 식으로 말이다. 관계로 우리 존재를 규정하는 것인데, 이게 기분 좋은 일인 경우도 있다. 특히 그 관계 덕분에 새로운 친구 무리가 생기거나 가족들이 우리 상대를 멋진 사람이라고 생각할 때면 더욱 그렇다.

우리가 이떤 이의 곁에 머물거나 떠나는 이유에 자아가 관여되는 게 바로 이 지점이다. 자아는 우리가 다른 사람들의 눈에 긍정적으로 비쳐지길 바란다. 자아는 우리가 실패하지 않고 성공하길 바란다. 그러나 자아는 우리가 불편하거나 불확실한 상황에 마주하기를 바라지도 않는다. 우리 삶을 바꾸거나 소울메이트를 떠난다는 건, 곧 이 사랑이 우리에게 보장하는 현 상태, 안정, 자신감을 갈망하는 자아를 무시하고 앞으로 나아가야 한다는 걸 의미한다. 이 사랑을 벗어나면, 우리는 소울메이트의 아내 또는 여자 친구라는 정체성에서 떨어져 나와 우리가 어떤 사람인지 스스로 파악해야만 한다.

핵심 욕구는 모든 사랑의 동기이자 바로미터

소울메이트와의 관계를 유지하는 일은 여러모로 수월하지만, 이에 안주해서는 안 될 단 하나의 결정적인 요인이 있다면 우리가 이런 유형의 연인과는 인생을 함께할 수 없으며, 함께한다면 우리 본연의 모습대로 살아갈 수 없다는 것이다. 그러나 이 교훈을 깨달으려면 반드시 시간이 필요하다. 우선 우리 자신을 규정해줄 소울메이트가 필요하다. 그래서 우리가 참을 수 없을 만큼 답답함을 느낀 뒤 두려움을 무릅쓰고 우리가 진정 어떤 사람인지 알아가려는 선택을 할 수 있도록.

또 소울메이트와 수월한 관계를 겪어봐야만 인생에 도전이 필요하다는 사실을 깨달을 수 있다. 처음에는 사람들이 사랑과 행복의 규칙이라고 말하는 것들을 그대로 따라봐야 결국 진정한 규칙 따위는 존재하지 않는다는 사실을 깨달을 수 있다.

사랑할 때 겪는 모든 일을 통해 우리는 자신의 진정한 모습을 찾아간다. 또한 상대에게 우리가 원하는 게 무엇인지도 확실히 알게 된다. 연애할 때는 몇 가지 핵심 욕구가 충족되어야만 비로소 행복과 사랑을 느낄 수 있고 상대와 우리 삶에 전반적으로 만족할 수 있다. 만약 핵심 욕구 중에 한 가지라도 충족되지 않으면, 나머지는 더할 나위 없이 만족스럽더라도 혼란을 느낀다. 운명이 아닌데도 애써 맞춰보려고 노력하는 것이 바로 이런 경우다. 우리는 무의식적으로 우리 삶에 그들을 끼워 맞추려고 한다. 상대방의 진정한 모습으로는 결코 가능하지 않은 일이더라도 말이다.

핵심 욕구는 우리가 시작하는 모든 사랑의 동기인 동시에 그 관계의 지속가능성을 가늠하는 바로미터다. 핵심 욕구는 우리가 어떤 사람인지 또 인생의 어느 단계에 서 있는지에 따라 각자 다르다. 심지어 같은 사람이라도 인생의 어느 단계에 있느냐에 따라 다르다. 20대, 아니면 10대 때를 돌이켜보라. 이 시기에는 상대에게 사교적인 것들을 원할 가능성이 크다. 같이 즐거운 시간을 보낼 수 있는 사람, 항상 가까이 있는 사람, 입맞춤하고 싶은 사람, 내 친구들과 잘 어울리는 사람과 만나고 싶어 한다. 어렸을 때는 이랬던 핵심 욕구가 나이 들면서 좋은 부모가 될 만한 사람, 좋은 배우자가 될 만한 사람, 경제적으로 안정적인 사람으로 달라진다. 그러나 외부 요인에 기초해서 핵심 욕구를 결정하는 한, 우리는 결코 진정한 만족감을 느낄 수 없다.

여러 사람과 만나는 과정에서 우리 자신이 변하면서 상대에게 바라는 바도 달라진다. 내 친구들과 잘 어울릴 것 같은 사람 또는 좋은 부양자가 될 것 같은 사람을 찾기보다는 영혼이 더 가깝게 느껴지는 사람을 갈망하기 시작하는 것이다. 즉, 파트너가 될 사람의 영성이나 신념이 더욱 중요해진다. 이런 변화는 이러한 요소가 우리 삶에서 가치 있는 것들로 자리 잡기 때문에 나타난다. 이때부터는 진정한 자아를 찾아 성장할 수 있도록 우리에게 영감을 주고 우리를 도전의 길로 내모는 사람을 만나고 싶어 할 가능성이 크다. 이렇듯 핵심 욕구는 계속 달라지지만, 핵심 욕구가 소울메이트 사랑이라는 단계에서 뿌리내리기 시작한다는 사실만큼은 변하지 않는다.

'그래, 내가 원하는 건 이게 아닌 것 같은데……. 그럼 정말로 내가 원하는 건 뭐지?'라는 생각이 들기 시작할 때, 바로 이때부터 두려움이 엄습한다. 소울메이트 사랑에서 현실을 깨닫는 단계에 이르면, 우리는 이전보다 자신에게 더 솔직해지기 시작한다. 꼭 우리가 원해서라거나 삶의 변화를 맞이할 준비가 되었기 때문이 아니라 더 이상 진실을 외면하는 게 불가능해지기 때문이다.

이 시점이 되면 우리가 연애 상대에게 무엇을 원하는지에 대해 이전보다 더 솔직해지면서 우리를 온전히 믿고 응원해줄 사람, 우리가 자유롭다고 느낄 수 있도록 도와줄 사람, 우리가 스스로 어떤 사람인지 더욱 깊이 알아갈 수 있도록 도와줄 사람과 만나고 싶다는 생각을 하게 된다. 이는 반드시 필요한 과정이지만, 우리가 혼자 힘으로는 원하는 모습대로 살 능력이 없기 때문에 계속해서 의지할 사람을 찾고 있다는 사실을 아직 깨닫지 못한 상태다. 그리고 바로 이런 점이 우리를 다음 단계인 카르마 사랑으로 안내한다.

나는 고객들에게 항상 같은 질문을 던진다. "사랑하는 상대를 찾을 때 타협할 수 없는 조건은 뭐가 있어요?" 협상할 의향이 전혀 없는 조건, 즉 핵심 욕구를 묻는 것이다. 그러면 고객들은 저마다 다른 답을 내놓는다. 자신의 아이들까지 품어줄 준비가 되어 있어야 한다고 대답하기도 하고, 부양 능력이 있어야 한다는 조건을 들기도 하고, 아니면 자기 관리를 철저히 하는 사람이어야 한다고 대답하기도 한다. 타협 불가능한 조건이 무엇이든 간에 그러한 조건이 우리의 핵심 욕구에 기초한 것이라면, 이는 새로 시작하는 관계의 초석을 공고히 다지는 역할을 한다. 타협 불가능한 욕구가 분명하면 우리는 우리와 다른 것을 원하는 사람과 허송세월할 몇 개월(또는 몇 년)의 시간을 절약할 수 있으며, 자신의 욕구에 더욱 솔직할 수 있게 된다.

때로는 이보다 훨씬 더 단순하게 물어보기도 한다. 타협할 수 없는 조건을 한 단어로 축약해달라고 요청하는 것이다. 이런 질문을 할 때면 이해하기 쉽게 직무 내용에 대한 설명에 비유한다. "만약에 인생의 동반자를 찾는 광고를 낸다면 어떤 단어를 사용하시겠어요? 부양자? 양육자? 응원자? 보호자?" 타협할 수 없는 조건을 한 단어로 압축하는 과정에서 우리가 관계에서 무엇을 가장 중요하게 여기는지 알 수 있기 때문에 핵심 욕구에 더욱 집중할 수 있게 된다. 그러므로 만약 상대방이 우리가 원하는 조건들 중에서 몇 가지를 어겼다거나 장거리 연애를 해야 한다는 문제가 생기더라도 우리가 정의한 그 한 단어와 꼭 맞아떨어진다면, 그 관계가 앞으로 어떻게 될지 두고 볼 만한 가치가 있다고 생각할 수 있다.

이 모든 감정을 느끼고 깨달음을 얻는 과정은 반드시 필요하다. 그래야만 우리 존재를 대신 규정해주고 우리의 인생 행로를 대신 결정해주는 소울메이트로부터 벗어날 수 있고, 우리 스스로 인생을 그려 나갈 자유를 찾을 수 있기 때문이다. 그러려면 일단 상황을 있는 그대로 바라보고, 관계를 유지하기 위해 지나치게 애쓰는 걸 중단해야 한다. 사랑이 식어서가 아니다. 그렇기 때문에 소울메이트와의 이별이 힘든 것이다. 남은 감정이 없으면 관계를 정리하기도 수월할 텐데 말이다.

사랑은 결혼반지, 웨딩드레스, 영원한 약속이 아니다

인생을 살아가다 보면, 누군가를 향한 우리의 사랑이 끝난다기보다는 욕구가 달라짐에 따라 우리가 추구하는 사랑이 변하는 것이라는 사실을 점차 깨닫는다. 소울메이트는 우리의 첫사랑인 동시에 사랑에 의미를 불어넣어준 사람이다. 우리가 삶에서 정확히 무엇을 원하는지 자문하기 전까지는 첫사랑이 인생의 전부 같아 보인다. 그렇기 때문에 이 사랑이 결코 사그라지지 않는 것이다.

소울메이트와는 끔찍하게 싸우고 미워하며 이별하는 경우가 거의 없다. 이미 1000번쯤 읽은 책을 들고 소파에 웅크리고 앉아 활활 타오르는 장작불을 바라보는 게 질리지 않는 것처럼, 소울메이트와의 사랑은 변하지 않는다는 걸 우리는 천천히 깨닫는다. 그런 다음에야 우리는 이 사랑이 그저 편안할 뿐이라는 걸, 그 당시에는 반드시 필요한 경험이었지만 소울메이트가 우리의 진정한 모습을 찾도록 도와주는 역할을 하지는 못한다는 걸 받아들이기 시작한다.

나는 사랑을 쉽게 시작하는 편이 아닌데, 한번 사랑에 빠지면 끝을 생각하지 않는다. 전에 만났던 남자들 중에 '그리고 행복하게 살았습니다'의 주인공이라고 생각했던 남자는 결과적으로 내 삶을 자기실현의 소용돌이 속으로 내던져버렸다. 한때 나는 더 이상 그를 사랑하지 않는다고, 어쩌면 이 감정이 처음부터 사랑이 아니었을지도 모른다고 생각했다. 뭔가 인정하고 싶지 않을 때 자아가 우리를 어떻게 설득하는지 살펴보면 아주 놀라울 따름이다. 나 자신에게, 그리고 그에게까지 여전히 그를 사랑한다고 인정한다는 건 나 자신을 자유롭게 하는 일이었다. 왜냐하면 사랑이 사그라지지 않을 때도 있지만, 그렇다고 해서 그 관계가 지속될 운명이라는 의미는 아니기 때문이다. 더군다나 한 사람만 일방적으로 그 관계를 원하는 경우라면 더 말할 것도 없다.

소울메이트 사랑을 들여다보면 여러 면에서 앤 해서웨이와 케이트 허드슨이 등장하는 〈신부들의 전쟁Bride Wars〉이라는 코미디 영화가 떠오른다. 단짝인 두 주인공이 우연히 같은 날짜에 결혼식을 하기로 결정하면서 다투는 내용을 담은 깜찍한 영화다. 영화에서 앤 해서웨이가 연기하는 엠마는 결혼식장에서 약혼자에게 "당신은 지금의 내가 아니라 당신이 대학생 때 만난 과거의 내 모습을 사랑하고 있다"고 말하며 이별을 고한다. 수많은 소울메이트 사이에서 두 사람의 관계가 삐걱거리기 시작할 때면 늘 반복되어 울려 퍼지는 말이다. "너는 나를 사랑하는 게 아냐. 내 진짜 모습이 아니라 네가 바라는 내 모습을 사랑할 뿐이라고."

영원할 줄만 알았던 사랑이 어째서 갑자기 한순간도 사랑이었던 적이 없는 것처럼 느껴지는지를 이해하기란 매우 어렵다. 그러나 한 가지 확실한 사실은, 정말로 달라진 건 우리 자신이라는 것이다. 자신에 대해 더욱 깊이 알아가면서, 자신의 핵심 욕구와 타협 불가능한 조건에 눈뜨기 시작하면서 사랑에 대한 우리의 생각은 달라지기 시작한다. 소울메이트 사랑의 흥미로운 점은 우리가 여기까지 성장할 수 있었던 건 소울메이트와의 관계 때문이 아니라 오히려 전통적 사고방식 때문이라는 사실이다. 더 이상 날 수 없을 만큼 날고 싶다는 걸 우리 자신도 모를 때가 있다. 가끔은 작은 상자 하나를 가리키며 "이 안으로 들어가세요"라고 말하는 사람이 있어야만 그제야 "절대 싫어요"라고 대답하며 우리에게 가장 잘 맞는 것을 선택할 수 있게 된다.

그러나 우리가 어떤 사랑을 받고 싶어 하는지 알기 위해서는 먼저 모든 방식으로 사랑받아봐야 한다. 이 시기에는 사교적 요소를 기반으로 두었던 우리의 핵심 욕구가 개인적 발전에 도움이 되는 방향으로 달라질 뿐만 아니라 우리가 생각하는 사랑의 개념 또한 달라진다는 걸 우리 스스로도 느끼기 시작한다. 처음에는 사랑을 결혼반지, 순백의 웨딩드레스, 영원한 약속과 동일시 한다. 그러나 우리 머릿속에 자리 잡은 디즈니식 로맨스를 비워내야만 우리는 비로소 무엇이 있어야 두 사람이 그저 함께 시간을 보내는 게 아니라 진정한 사랑 속에서 영원히 함께할 수 있는지를 탐구하게 된다.

소울메이트는 모든 걸 바쳐 우리를 사랑한다. 그러나 언젠가 어느 고객이 내게 말한 것처럼 "빵을 사겠다면서 계속 철물점에 드나들 순 없는 노릇"이다. 우리가 선택하는 사랑에서도 마찬가지다. 우리는 여러 면에서 소울메이트를 의식적으로 택했다고 볼 수 없다. 가정교육, 사회적 통념, 또는 서로가 주는 편안함 때문에 잘 맞는 것일 뿐, 이것이 서로에게 꼭 필요한 존재라는 의미는 아니다. 단지 누군가가 모든 걸 바쳐 당신을 사랑한다고 해서 그가 당신의 핵심 욕구를 모자람 없이 채워준다는 의미는 아니다. 소울메이트는 결코 우리 곁을 떠나지 않을 테지만, 그렇다고 그들이 우리 곁에 계속 머물 수 있는 것도 아니다.

옳아 보이는 선택이 아니라 마음이 가는 선택을 하라

어느 순간이 되면 소울메이트에게서 멀어진다는 느낌이 든다. 우리는 벌써 5킬로미터 지점에 와 있는데 그들은 여전히 1킬로미터 지점에 머물러 있는 것만 같다. 그러면 이 사랑이 우리에게 너무 많은 것을 바라며 우리를 옥죄는 것 같아 조금씩

거리를 두기 시작한다. 어떤 면에서 이처럼 새롭게 드는 생각은 우리에게 자극제가 되기도 한다. 그러나 우리는 이를 계기로 성장을 향해 앞으로 나아가는 게 아니라 소울메이트와 사랑을 나누던 우리의 모습을 버리기 위해 오히려 그로부터 한 발 물러나게 된다. 우리가 스스로 선택해서 한 사랑이 아니기 때문에 선택하지 않는 것도 복잡해지는 것이다.

소울메이트를 사랑하지만, 그게 우리에게 필요한 사랑이 아니라는 사실을 확실히 표현하거나 받아들이지 못하기 때문에 아무리 멀리 가도 되돌아오는 부메랑처럼 우리는 계속해서 소울메이트를 찾게 된다. 그러면서 겉으로 드러나지 않지만 마음속에서는 어둠을 마주하기 시작한다. 우리를 사랑했을 뿐인 사람과 헤어져서 죄책감이 느껴지는 것이다. 이 사랑의 실패를 개인의 실패로 생각하기 때문이다. 그리고 바로 이때부터 사랑이란 게 과연 무엇인지 자문하기 시작한다. 그동안의 결정에 대한 확신을 잃으면서 혹시 일생일대의 실수를 저지른 건 아닌지 걱정되기도 한다. 그러나 빛에 도달하려면 반드시 어둠을 지나가야 한다. 바로 이러한 이유에서 이 다음 단계인 카르마 사랑에 어둠이 스며든다.

소울메이트와의 이별은 단순히 오랜 사랑을 끝낸다거나 그저 우리가 사랑했던 사람을 떠나는 일이 아니다. 지금까지 이어온 우리 삶과 존재 방식에서 벗어나는 일이다. 성별을 떠나 어떤 사람이든 간에 우리는 모두 인생의 비전을 가지고 있다. 그러나 이 시기에 갖는 비전은 관습에서 벗어나지 못하고 다수의 의견을 따라 형성된 것임을 명심해야 한다. 소울메이트와의 관계를 끝낸다는 건 대세를 거스르는 결정을 내리는 일이고, 우리가 해야 할 일에서 도망치는 일이며, 우리가 가장 사랑하는 가족들에게 실망을 안기는 일이다.

소울메이트와 분리되려면 우리는 다시 혼자가 되어야 하고, 사랑을 해야 하고, 나중에 결혼하게 되는 것도 괜찮다고 생각할 수 있어야 한다. 그리고 훗날 미래를 약속하게 될 사람이 우리가 꿈꾸는 모습과 다를 수도 있다는 사실을 받아들여야만 한다. 이 교훈을 완전히 체득하기 위해서는 소울메이트 사랑과 카르마 사랑을 포함한 모든 유형의 사랑을 경험해야 한다. 이 과정에서 우리는 자기 수련이라는 노력을 기울여야 하지만, 그 과정을 통해 마침내 우리만의 인생을 만들어 나갈 기회를 얻게 되며, 무엇이 우리를 행복하게 만들 수 있는지 발견하게 된다.

제이미는 결혼한 지 20년 만에 드디어 이 교훈을 깨달았다. 당시 제이미에게 확실한 사실은 결혼 생활이 혼란스럽고 불행하다는 것뿐이었다. 무엇이 자신을 행복하게 만드는지조차 알지 못했다.

제이미는 말했다. "저도 할 수 있다는 걸 알아요. 뭐 어떻게든 그럭저럭 살아가겠죠. 그렇지만 이게 인생의 전부가 아니면 어떡해요." 그 말을 듣는 순간, 수화기 너머에 있는 제이미의 손을 붙잡고 이렇게 외치고 싶었다. "불행하게 사는 건 당연히 인생의 전부가 아니에요!" 그러나 이보다 먼저 해야 했던 얘기는 결코 단 한순간도 인생을 그저 "어떻게든, 그럭저럭 살아가는" 것이라고 생각해서는 안 된다는 말이었다. 대화를 나누다 보니 제이미가 생각하는 결정적 요인은 자녀였다. 그녀는 자신이 생각할 때 최악의 사건이었던 '부모의 이혼'을 자신의 아이들에게 겪게 하고 싶지 않았다.

우리의 소울메이트 사랑에 가족과 주변 사람들은 다른 어떤 유형의 사랑보다 더욱 깊이 관여한다. 우리의 소울메이트야말로 그들이 우리가 함께하길 바라는 사람이기 때문이다. 그들의 눈에 우리는 마땅히 해야 할 일을 하고 있는 것처럼 보인다. 우리가 어렸을 적에 받은 인생의 청사진을 손에 들고서 그것이 근본적인 행복에 이르는 길인지 아닌지 전혀 알지 못한 채 꾸준히 따라가고 있는 것처럼 보인다는 의미다. 소울메이트와의 관계를 끝낼 때 마치 엄청난 실패자가 된 듯한 느낌이 드는 것은 바로 이런 이유 때문이다. 가족들이 아무렇지도 않게 우리에게 실망스럽다고 하거나 "너희 둘이 잘 안 됐다니 참 안타깝구나. 정말 완벽한 한 쌍이었는데"라고 말하는 경우가 너무 많다. 둘의 관계가 무슨 단순한 방정식이라는 듯이, 아니면 둘이 헤어진 게 무슨 큰 문제라도 된다는 듯이 말이다.

성장하기 위해서 어떤 유형의 사랑을 해야 하는지 알고 싶다면 우리는 먼저 자기 자신이 어떤 사람인지를 알아야 한다. 가족의 행복이 반드시 우리 개인의 행복을 보장해주지는 않는다는 사실을 깨닫기까지는 어느 정도 시간이 필요하다. 그러나 소울메이트와의 관계를 끝내면서 우리는 비로소 우리를 향한 타인의 기대를 넘어서야만 인생에서 진정한 성취감을 얻을 수 있다는 사실을 이해하기 시작한다. 우리가 어떤 사람인지 제대로 알기 위해서는 가족이 원하는 사람이 되기를 그만둬야 한다는 말이 모순처럼 들릴 수도 있다. 그러나 여러 면에서 볼 때 이 밖에는 달리 방법이 없다. 가족들의 믿음과 응원을 비교적 많이 받고 자란 사람도 있을 것이다. 그렇더라도 여전히 '옳아 보이는' 선택을 하는 것을 그만두고 대신 마음이 가는 선택을 해야 한다.

이 시기는 우리가 이제 막 성장을 시작하는 단계이며 우리가 정말로 어떤 사람인지 조금씩 알아보기 시작하는 단계인데, 때로는 이 사실이 두렵기도 하다. 이때 우리가 할 수 있는 최선의 일이라고는 우리 자신을 믿는 법을 배우는 것뿐이다. 무언가 맞지 않는다는 느낌이 든다면, 현재의 우리 또는 우리가 향해 가고 있는 미래의 우리에게 옳지 않다는 느낌이 든다면, 구태여 그 이유를 찾을 필요 없이 그저 감을 믿으면 된다. 관계가 잘 풀리지 않을 때마다 우리는 논리적인 원인을 찾으려 든다. 사랑하는 사람과 헤어진 사람들의 말을 들어보면 관심사나 서로 지향하는 길이 달랐다고 얘기하는 경우가 많은데, 사실 두 사람이 잘되지 않은 데에 아무런 이유가 없는 경우도 많다. 정말로 중요한 문제는 둘이 운명이 아니었다는 사실뿐이다.

그러나 이러한 진실을 인정하는 것은 상당히 어려운 일이다. 그래서 보통은 다시 잘해보려고 몇 번이나 애쓴 뒤에야 이 지점에 도달하게 된다. 여기까지 오려면 우선 이 사랑의 현실에 눈떠야 하고, 또 상대방에게 그 내용을 전달할 수 있도록 이 사실을 진심으로 받아들여야 한다. 아주 오랜 시간이 걸리는 과정이다. 어렵게 이 과정을 거쳐 말을 꺼내더라도 처음에는 상대방이 받아들이려고 하지 않을 가능성이 크다. 헤어지기 싫다고 버틸 것이고, 이별하지 말자고 설득할 것이며, 심지어 죄의식을 무기 삼아 붙잡으려 할 수도 있다.

소울메이트 사랑을 할 때 관계의 진실에 상대방과 동시에 눈뜨는 일은 극히 드물다. 항상 둘 중 한 사람이 먼저 성장하면서 이 사랑 자체는 편안하지만 자신이 진정 원하는 사랑이 아니라는 사실을 깨닫게 마련이다. 자신의 결정에 확신이 없을수록 이 관계를 실제로 끝내기까지는 더 오랜 시간이 걸린다. 그러나 끝을 맺어야만 우리는 인생의 다음 단계로 나아갈 수 있다.

여기서 중요한 것은, 우리는 타인의 행복을 위해 존재하는 게 아니라는 사실을 반드시 깨달아야 한다는 것이다. 우리는 타인의 계획대로 살아야 하는 존재가 아니다. 처음부터 끝을 생각해서 상대방에게 상처 줄 마음으로 사랑을 시작하는 사람은 없을 테지만, 그렇다고 해서 처음부터 끝이 정해진 사랑이 존재하지 않는다는 의미는 아니다. 우리는 아픔을 통해 교훈을 얻고, 아픔을 통해 우리 자신과 타인을 더욱 잘 이해하게 된다. 서로 주고받는 고통의 크기로만 따지자면 카르마 사랑을 이길 수 없겠지만, 소울메이트와의 이별로 느끼게 되는 고통도 헤아리기 힘들 만큼 깊다. 소울메이트가 우리 운명이 아니라는 결론을 내리는 순간, 마치 온 세상을 실망시킨 것 같은 느낌이 들기 때문이다.

그러나 중요한 건 세상이 아니다. 사회도 가족도 아니다. 정말로 중요한 건 아무것도 아닌 관계를 특별하다고 착각해서 내내 품어왔던 우리의 꿈이 산산조각 났다는 사실이다. 우리가 꿈꾸던 대로 인생이 흘러가지 않아서 자아와 다퉈야 하는 것은 물론, 사랑으로 들떴던 심장과도 씨름해야 하는 상황에 부딪힌다. 우리가 사랑하는 사람, 미래를 함께 꿈꿨던 사람을 심장이 포기하려면 굉장히 오랫동안 힘든 시간을 보내야만 한다.

메기는 아주 너그러운 사람이다. 바다처럼 넓은 성품을 지닌 덕분에 모두에게 관대하고 모든 사람의 장점만 보려고 하지만, 그런 성품 때문에 말도 안 되는 이야기를 믿는 경우도 있다. 이를테면 그녀는 두 사람이 온갖 역경을 극복하고 결국 다시 만나 행복하게 살았다는 식의 무모한 러브스토리를 믿는다. 그래서인지 애인이 정신 건강 면에서 이상 징후를 보이고도 치료받기를 거부했을 때 메기는 이 사랑이 잘되지 않을 수도 있다는 현실을, 열심히 노력한다고 해서 해결될 문제가 아니고, 그렇다고 참고 견딜 문제도 아니라는 현실을 받아들이지 못했다. 있는 그대로의 현실을 제대로 보지 못한 채 그때그때 눈앞에서 벌어지는 일만 바라볼 뿐이었다. 그 결과, 메기는 애인 곁에 남기로 했다. 훗날 떠나고 싶어졌을 때도 그의 곁에 머물러 있었다. 지난한 사랑 게임에서 이기고 싶어서가 아니라 한때 사랑했던 사람을 어떻게 떠나야 할지 몰랐기 때문이다.

현실을 직시하기란 어렵다. 상대방에게 끝이라고 말하는 그 순간까지 확신이 들지 않을 수도 있다. '내가 이 사람을 안 만났더라면 정말로 더 행복했을까?' 싶은 마음도 든다. 이 사람과의 관계를 어떻게 끝내야 할까, 상대방을 어떻게 잊어야 할까, 절대 끝나지 않을 줄 알았는데 사실은 이미 끝장나버린 이 관계 속에서 이제 어떻게 해야 할까, 하는 생각에 사로잡혀 헤어나오지 못한다. 그러나 이러한 딜레마를 겪는 것 또한 헤어짐의 일부다. 이 단계에서도 우리는 요점이 그저 실천이라는 걸 이해하지 못한 채 여전히 무엇이 옳고 무엇이 그른 방법인지에 대해서만 생각한다.

훗날 조금 더 성장한 뒤에는 우리가 생각하는 행복의 의미가 달라지겠지만, 어쨌든 이때 우리는 우리 자신의 행복을 위해 살겠다고 다짐해야 한다. 그러니까 이 단계는 동네 구멍가게에서만 옷을 살 수 있는 줄 알았는데, 어느 날 백화점이라는 곳에 갔다가 상상도 못했던 물건들을 보고 가슴이 벅차오르는 것 같은 그런 시기라고 할 수 있다.

소울메이트 사랑은 시작점에 불과하다

우리 모두는 불사조다. 우리는 반드시 강하고 아름다운 날개를 펼쳐 잿더미에서 날아올라 한계를 뛰어넘어 멀리멀리 날아가야 한다. 다만, 그러려면 먼저 불 속에 들어가야 한다.

인생은 우리가 상상할 수 있는 것보다 훨씬 더 광대하다. 주어진 것에 순응하면서 착하게 사는 게 인생의 전부가 아니다. 우리에게는 가족이 허락한 사람과 결혼하고, 정착하고, 아이를 낳고, 그다음엔 제대로 살아본 적도 없이 죽음을 기다리는 것보다 더 큰 목적이 있다. 그러나 우리에게 가능한 모든 일을 정말 내 것으로 만들려면 우선 멀리 손을 뻗을 용기가 있어야 한다. 무엇이 기다리고 있는지 모르는 상태에서 이미 갖고 있는 것을 버리겠다는 선택을 할 수 있어야 한다. 모든 답을 미리 쥐고 있을 수는 없다는 의미다. 결국 무엇이 기다리고 있는지 모를 불속으로 뛰어 들어가야 한다는 의미다.

우리는 우리의 영혼과 심장을 신뢰해야 한다. 무슨 이유에서든 우리가 원하는 바를 자신보다 남들이 더 잘 알고 있다는 생각을 버려야 한다. 소울메이트를 떠나고 나면, 신물나게 진부한, 똑같이 생긴 상자 같은 삶으로는 두 번 다시 돌아가고 싶지 않아진다. 인생에 열정이 생긴다. 그러나 그렇다고 해서 모든 교훈을 얻었다는 건 아니다. 이는 오히려 소울메이트 사랑이 시작점에 불과하다는 사실을 의미할 뿐이다. 카르마 사랑이 우리 삶을 망가뜨린 이후에 다시 소울메이트에게 돌아간 것이라고 할지라도, 이는 여전히 우리를 기다리고 있는 일의 시작점일 뿐이다. 소울메이트는 우리 심장에 시동을 걸고, 우리가 사랑과 욕구라는 놀라운 감정에 눈뜨게 한다. 그리고 결국 이 관계가 지속될 수 없음을 알려줌으로써 우리가 스스로 자기 인생의 길을 찾아갈 수 있게 등을 떠밀어준다.

사람들은 어쩔 수 없는 경우가 아니면 굳이 안전지대를 떠나려고 하지 않는다. 꼭 그래야 하는 상황이 아니라면 굳이 타인에게 상처 주려고 하지 않으며, 다른 사람들을 기분 좋게 하는데 진절머리가 난 경우가 아니라면 굳이 이기적으로 행동하려 하지 않는다.

소울메이트 사랑의 한 가지 특징은 서로 잘 맞지 않는다는 걸 알면서도 그들에게 돌아가 또 다시 노력해본다는 것이다. (잠깐, 광기를 정의해본다면? 다른 결과를 기대하며 똑같은 행동을 되풀이함.) 대개 몇 번이고 돌아간 다음에야 이 관계를 영원히 끝내야겠다는 생각이 뚜렷하게 들기 시작한다. 이 시기의 우리에게 자신감과 다양한 경험이 부족하기 때문에 이런 지경에 이르는 것이다. 바로 이 때문에 우리는 다른 삶을 선택하지 못한다. 그러나 이후 점점 더 자신감을 얻을수록 우리는 인생의 주연은 우리 자신임을 깨닫게 된다.

끝이라는 걸 알았다고 해서, 또는 두려움에서 벗어났다고 해서 소울메이트가 우리 삶에서 영원히 사라질 것이라는 의미는 아니다. 각자의 길을 걷게 된 뒤 소울메이트와 두 번 다시 말을 섞지 않는 경우는 굉장히 드물다. 함께 낳은 아이가 있어서인 경우도 있지만, 그보다는 주기적으로 서로에게 끌려서 그렇게 되는 경우가 많다.

소울메이트와 헤어지고 나서 오랜 세월이 흘렀지만, 최근 들어 그가 어떻게 지내고 있는지 연락해보고 싶다는 마음이 들었다. 내 연락을 받은 그는 전날 밤 꿈에 내가 나왔다며 깜짝 놀랐다. 소울메이트 사이에서 흔히 볼 수 있는 일이다. 우리가 다시 만나려고 했다거나 잘되길 바랐다는 게 아니라 그저 우리의 영혼이 서로 통하고 있었던 것뿐이다. 그는 어떻게 지내고 있는지 자신이 어떻게 얼마나 달라졌는지 이야기했고, 나도 내 새로운 일상을 그에게 전했다.

소울메이트와의 관계를 확실하게 끝내고 나면, 스킨십이라는 선을 두 번 다시 넘지 않으면서 가장 친한 친구로 지내는 기쁨을 누리게 되기도 한다. 소울메이트는 우리 삶에서 중요한 목적을 이루기 위해 우리를 찾아온다. 그중에서도 가장 큰 역할은 우리 자신을 알아가는 여정의 첫 단추가 되어준다는 것이다. 이제 우리에게는 소울메이트, 그리고 그와의 관계가 주는 정체성, 안전지대, 러브스토리, 타인의 인정이 더 이상 필요하지 않다.

때가 되면 붙잡고 있던 손을 놓아야 하고, 한번 손을 놓은 뒤에는 두 번 다시 돌아보지 말아야 한다. 어떤 사랑이든 간에 당신과 잘될 운명이라면, 당신의 영원한 사랑이라면, 지금도 당신 곁에 있을 것이기 때문이다. 그러나 이 사랑은 그렇지 않다. 이는 당연한 일일 뿐만 아니라 정확히 운명대로 흘러간 결과다.

우리가 인생에서 겪게 되는 모든 연애 중에 끝까지 함께할 운명을 타고난 사랑은 딱 하나뿐이다. 오직 단 하나의 사랑만이 당신에게 어째서 다른 사랑이 결실을 맺지 못했는지 그 이유를 보여준다.

3장. 교훈
다른 사람을 행복하게 하려면 나부터 행복해야 한다

우리 모두의 내면에선 저마다의 리듬에 따라 고동이 울린다. 우리가 본질에서 벗어나려고 할 때마다 우리를 다시 끌어당겨 주는 경적 소리다. 이 내면의 소리를 알아듣고 이 소리에 귀 기울이기까지는 평생이 걸릴 수도 있다. 소리를 듣기로 선택한다는 건 우리가 들어야 할 것을 알려주는 목소리, 우리가 일상에 잠들도록 내버려두지 않고 우리 안에서 춤추고 있는 영혼을 깨우는 목소리에 집중하겠노라고 다짐하는 일이기 때문이다.

소울메이트는 처음으로 우리를 내면의 목소리와 연결해주는 사람이다. 소울메이트, 그리고 이들의 사랑이 주는 편안함에서 완전히 벗어나려면 우리는 상상조차 못했던 길을 기꺼이 걸어갈 수 있어야 한다. 소울메이트는 정말이지 달콤하고 위로가 되는 존재이기 때문에 이들과의 관계가 무너지는 과정을 처음 겪을 때는 심각한 상실감을 느끼기도 한다.

사랑이 끝났다고 실패자가 되는 것은 아니다

소울메이트와의 관계를 끝낼 무렵, 일찌감치 이런 깨달음을 얻는 사람들도 있다. 비록 처음에는 두렵지만, 스스로에 대해 예전보다 조금 더 잘 알게 된 것 같다는 어렴풋한 깨달음을 말이다. 이 사랑에서 얻어야 할 가장 중요한 교훈은 우리가 행복하지 않으면 다른 사람에게도 행복을 줄 수 없다는 것이다. 그렇기 때문에 소울메이트 사랑이 우리에게 주는 외부의 인정이 사라지고 나면 언제나 복잡한 감정이 밀려든다. 갑작스럽게 세상이 전보다 훨씬 더 커 보이고, 훨씬 더 예측하기 힘들어 보인다!

(함께 꿈꿨던 삶이 아닌 다른 길을 걷겠다는 우리에게 실망했다는 뻔한 말을 들을 수도 있지만) 교훈은 소울메이트를 통해 드러나기보다는 가족이나 친구들과의 관계를 통해 드러나는 경우가 많다. 소울메이트와의 관계를 끝낸다는 것은 결국 부모님이나 단짝 친구들에게 우리를 행복하게 만드는 게 무엇인지, 우리에게 궁극적으로 필요한 게 무엇인지, 우리에게 진정한 사랑이 무엇

인지 누구보다 잘 아는 존재가 우리 자신이라고 이야기하는 것과 같다. 유년기와 청소년기에 형성된 자아에서 반드시 벗어나야 한다. 당시에는 우리를 위해 이미 만들어진 역할 속에서 성장하고 있었기 때문이다.

무엇이 정상인지 판단하는 우리의 신념, 우리가 정말로 어떤 사람인지 알게 되는 수준까지도 모두 자아가 통제하기 때문에 연애할 때 하는 대부분의 선택 또한 오롯이 자아의 몫이 된다. 그러나 '반드시 이렇게 해야 해'라고 생각하며 계속해서 자아에게 선택을 맡기는 한, 결코 진정한 자기 또는 영혼에게 선택권을 넘겨줄 수 없다. 이는 우리가 정말로 어떤 존재인지 제대로 알게 되지 못한다는 의미다.

자아의 선택에서 벗어나지 못하도록 우리를 가로막는 가장 큰 방해 요소는, 이 시기에 우리가 무엇을 원하는지, 실제로는 전혀 그렇지 않지만 무엇이 우리를 행복하게 하는지 대해 많이 알고 있다고 생각하는 착각이다. 소울메이트와의 관계를 끝내고 다 정리했더라도 우리는 여전히 어떤 식으로 사랑받아야 하는지 확실하게 알지 못한다. 그저 우리에게 필요하지 않은 게 무엇인지 알아차리기 시작했을 뿐이다. 그래도 소울메이트 사랑은 여전히 제 몫을 다했다고 할 수 있다. 비록 이 사랑의 목적이 우리에게 이 연애를 끝내야 한다는 사실을 일깨워주는 것뿐이라고 하더라도 말이다. 소울메이트 사랑의 경험은 타인을 어떻게 사랑해야 하는지, 타인과 함께 인생을 꾸린다는 게 어떤 것인지 우리에게 가르쳐준다. 그러므로 이 연애가 끝나버리더라도 실패라고 할 순 없다.

우리는 사랑이 끝나면 실패했다고 생각하게 마련이다. 우리가 실패했다고. 상대방이 우리를 행복하게 해주는 데 실패했다고. 그러나 사실 정말로 실패하는 사랑은 세상에 없다. 영화에서 좀처럼 다루지 않아서 그렇지 대부분의 사랑이 원래 끝날 운명을 타고났을 뿐이다.

"네, 결혼하겠어요"라는 대답이 반드시 '그리고 행복하게 살았습니다'라는 결말로 이어지는 건 아니라는 이야기를 담고 있는 영화를 찾는 건 여간 어려운 일이 아니다. 그런 영화 중 하나로 리즈 위더스푼이 출연하고 2017년 개봉한 로맨틱 코미디 영화 〈러브, 어게인Home Again〉이 있다. 극 중에서 주인공 앨리스는 오랫동안 함께했던 남편과 헤어진 뒤 L.A.에 있는 아버지의 집으로 이사하고, 어쩌다 보니 멋진 20대 남자 셋을 사랑채에 들이게 된다. 앨리스의 남편이 찾아와 다시 잘해보려고 애쓰지만, 이들의 관계는 여전히 시들할 뿐이다. 그러는 사이 앨리스는 젊은 남자 한 사람과 가벼운 연애를 즐긴다. 영화는 결혼식을 올리거나 프러포즈 받는 장면으로 끝나지 않는다. 이 영화의 마지막 장면에서 앨리스는 자녀들과 전남편, 이제 가족처럼 가까워진 젊은 세 남자와 다 함께 식탁에 둘러앉아 웃고 떠든다. 이는 이 영화의 마지막 장면이지만 새로운 시작을 알려주는 장면이기도 하다.

소울메이트 사랑은 여러 면에서 이와 비슷하다. 이 사랑은 정말로 실패가 없다. 이들이 헤어지는 건 어느 한 사람 또는 둘 다 잘못을 저질러서가 아니라 연애의 목적이 달라져가기 때문이고, 영원할 줄 알았던 사랑의 감정이 가족애나 우정 같은 친밀한 감정으로 변하기 때문이다. 모든 연애 상대자가 우리 곁에 남을 운명인 것은 아니다. 단지 소울메이트와 아이를 낳는 경우가 많아서 이들 사이의 감정이 사랑보다 더 오래 가는 경향이 있을 뿐이다.

영화에서 앨리스는 자신을 진정 행복하게 만드는 것을 찾고, 자신이 진정 원하는 삶을 만들기 위해 굉장히 다양한 상황을 이겨내야 했다. 앨리스는 아이들이 원한다는 이유로 뉴욕으로 돌아가지 않았고, 만나는 남자들의 요구에 휘둘리지도 않았다. 대신 자신이 있어야 할 곳에 머무르고, 자신의 가치를 알아가면서 궁극적으로 다른 누구도 아닌 자신의 행복을 선택했다.

자신의 행복을 선택한다는 건 진정한 자기를 찾아가는 여정을 걷는다는 의미다. 내 고객 애디는 연애하는 과정에서 이런 사실을 직접 깨달았다. 애디는 사랑에 마음을 열자마자 배우자를 만났다. 그녀는 아주 현실적인 사람이었는데도 '그리고 행복하게 살았습니다'라는 이야기가 영원한 사랑을 의미한다고 믿었다. 그랬기 때문에 남편이 거짓말하며 뭔가를 숨기기 시작하다가 결국엔 배신까지 했을 때 애디의 마음은 찢어질 듯 아팠다.

상황을 해결하기 위해 노력해야 할까, 아니면 남편을 떠나야 할까? 애디는 딜레마에 빠졌다. 애디가 남편을 사랑하지 않는다거나 사랑을 믿지 않는 건 아니었으나, 그와 함께 있으면 자신의 존재와 가치를 존중할 수 없을 거라는 생각이 들었다. 결국 애디는 자기 자신을 택했다. 자신의 행복을 택한 것이다. 다른 사람을 위해 자신을 희생하지 않기로 마음먹었기에 그토록 사랑했던 남자의 곁을 떠날 수 있었다.

영혼과 심장의 목소리에 귀를 기울여라

우리 모두의 내면에는 목소리가 존재한다. 자아가 아니라 우리의 영혼과 심장에 연결되어 있는 목소리다. 우리의 직관을 이끄는 목소리며, 우리의 진정한 욕구가 무엇인지 알려주는 목소리다. 그런데도 우리는 아무렇지 않게 내면의 목소리를 무시한다. 여태껏 우리는 논리, 친구, 가족, 심지어 우리가 만들어낸 스토리에 사로잡힌 탓에 느낌이란 깊이 있는 진실이 아니라고 믿고 살았다. 상황이 이렇게 되었다는 건, 우리가 우리 인생을 어떻게 망쳐놓았는지 또는 얼마나 잘못된 선택을 했는지에 대해 다른 사람이 왈가왈부하는 상황에 너무나 익숙해진 게 틀림없다는 의미다.

누구보다 우리를 아끼는 사람들이 하는 말조차 (좋은 의도에서 하는 말이라고는 하지만) 우리를 깎아내리거나 아니면 최소한 소울메이트에 관한 우리의 선택을 의심하도록 만든다. 물론 이들은 우리에게 악의가 있거나 우리를 통제하려는 의식적인 욕구가 있어서 이 같은 말을 하는 게 아니다. 이들이 이 같은 말을 하는 이유는 세상 사람들 대부분이 따르는 인생 계획에서 벗어나면 그때부터는 우리가 전체 시스템의 안전을 위협하는 요인으로 보이기 때문이다.

우리에게 성인이 되어 나이가 차면 무조건 결혼해야 한다고 말하는 바로 그 시스템 말이다. 순백의 드레스를 입어야 한다거나 첫 섹스를 하기 전에 먼저 데이트를 여섯 번 정도는 해야 한다고 말하는 시스템 말이다. 스스로 행복해야만 다른 사람을 행복하게 해줄 수 있다는 사실을 깨우쳐가는 과정은 사실 이 시스템이 잘못됐다고, 반드시 해야 한다고 배웠던 것들을 하고 싶지 않다고 분명하게 얘기하는 과정이기도 하다. 그 순간, 숨이 막히고 무릎이 후들거리겠지만, 드디어 우리는 자신을 알아가는 첫 걸음을 내디딘 것이다.

테레사를 만났을 때였다. 미래의 애인이 반드시 갖추고 있어야 할 조건이라며 그녀가 내민 목록은 밤새워 읽어도 끝나지 않을 만큼 길었고, 미리 세웠다는 연애 스케줄에는 데이트, 섹스, 사랑 고백, 심지어 동거 시기까지도 정해져 있었다. 그러나 얘기를 들어보니, 지금까지 그 목록이 테레사에게 안겨준 건 수차례 반복된 가슴 아린 상처뿐이었다. 우리는 무엇 때문에 그 목록이 테레사에게 그토록 중요해졌는지 알아보기 시작했다. 몇 달간의 노력 끝에 테레사는 자신을 행복하게 해주리라는 믿음을 기반으로, 자신이 반드시 해야 한다고 생각하는 것을 바탕으로 그 목록을 작성했다는 사실을 깨닫게 되었다. 그 목록에 테레사와 가까운 사람들의 의견이 아주 많이 담겨 있으리라는 건 너무도 당연했다.

세 번째 유형의 사랑이자 마지막 사랑에 도달하려면, 아무리 힘들더라도 이전과는 달라질 준비가 되어 있어야 한다. 그래서 우리는 테레사를 행복하게 만드는 게 무엇인지에 초점을 맞췄다. 우리가 한 건 정말로 이게 다였다. 나는 테레사가 정말로 중요하게 여기는 자질이 무엇인지 찾을 수 있도록 대화를 이끌었고, 통제하려는 생각을 버리면 필요에 더욱 가까이 갈 수 있다며 그 이유를 설명해주었다.

현재 테레사는 이사한 지 얼마 안 됐을 때 집을 리모델링해 준 스무 살 연하의 남자와 함께 살고 있으며, 최근 이탈리아에서 멋진 휴가를 보내고 돌아왔다. 두 사람은 함께 여행하고, 맛있는 음식을 먹고, 끊임없이 웃고, 수십 년은 더 젊어진 것 같다고 느낄 만큼 엄청난 섹스를 한다. 그러나 이 남자, 테레사에게 저녁 식사를 만들어주고, 피곤한 하루의 끝자락에 발마사지를 해주는 이 남자는 그녀의 목록에 있던 그 어떤 항목도 충족시키지 않는 사람이다. 정말로 잘 맞는 짝을 만나기 위해서는 규칙을 던져버려야 할 때도 있는 법이다.

테레사의 이야기는 1998년에 만들어진 인기있는 영화이자 내가 아주 좋아하는 영화인 〈레게 파티How Stella Got Her Groove Back〉와 여러모로 비슷한 면이 있다. 테리 맥밀란의 베스트셀러 소설을 원작으로 한 〈레게 파티〉에는 앤절라 바셋과 타이 딕스가 주연으로 출연한다. 바셋이 연기한 주인공 스텔라는 잘나가는 투자 분석가다. 영화는 스텔라가 지루한 일상에서 벗어나기 위해 자메이카로 즉흥 여행을 떠나면서 시작된다. 스텔라는 그곳에서 (딕스가 연기하는) 꿈에 그리던 이상형의 남자 윈스턴을 만난다. 열 살도 더 어린 자메이카 청년 윈스턴을 만난 뒤로 스텔라는 자신이 평생 지켜온 모든 규칙이 사사건건 벽에 부딪치는 것을 느낀다.

영화가 진행되면서 스텔라는 행복한 인생을 살기 위해서 특정한 부류의 남자와 함께해야 한다는 고정관념과 타인의 의견에 대한 집착을 조금씩 버린다. 생각해보면 우리도 그렇다. 사랑에 빠지지 못하도록 방해하는 사람이 사실 우리 자신이라는 걸 깨닫지 못한 채 하염없이 자신의 반쪽을 찾아 헤맨다. 영화의 마지막에서 스텔라는 행복, 그리고 무엇보다 중요한 자기 자신을 선택한다. 그렇게 그녀는 진실한 사랑을 찾는 방법과 선입견을 버리는 방법을 배워 나간다.

소울메이트와의 관계를 끝내면 비로소 우리 자신을 알아가는 여정이 시작된다. 소울메이트 사랑의 초점은 연애를 끝낼 용기를 내는 것, 이별 이후 주변의 실망을 극복해 나가는 것에 맞춰져 있기 때문에 이 사랑이 끝난 뒤에도 대부분 여전히 스스로 받아들이기 힘든 사실을 외면하는 상태에 머무를 뿐이다. 이러한 이유 때문에 소울메이트와 헤어진 뒤 카르마 사랑에 빠지기 쉬운 것이다. 소울메이트 사랑이 끝나면, 우리는 우리를 행복하게 만드는 요소가 무엇인지 생각하며 자기 자신을 이해하려 노력하기 시작하고, 어디까지 날아갈 수 있는지 자신의 날개를 시험해보기도 한다. 그러나 이때까지도 깨닫지 못한 한 가지는 우리가 정말로 어떤 사람인지 알려면 더욱 깊숙이 파고들어 우리가 어떤 계기로 현재의 모습이 되었는지를 먼저 깨달아야 한다는 것이다.

이 단계에서 우리는 자신도 모르게 카르마 사랑을 위한 준비를 한다. 우리는 이제 자유롭다고 생각하고, 또 자유롭다고 느끼지만, 실상은 줄곧 걱정, 불안, 상처, 그리고 소울메이트 없이 세상을 살아 나가야 한다는 두려움에 꽁꽁 묶여 있다. 물불을 가리지 못할 만큼 완전히 눈이 멀어버린 건 아니지만, 이 단계에 이르렀을 때 우리는 이전보다 훨씬 더 극단적으로 생각하기 쉽다. 우리 인생을 달라지게 만들 세 가지 유형의 사랑 중 이제 겨우 하나를 경험했을 뿐인데 말이다.

다른 여정에서도 마찬가지이지만, 정말로 중요한 건 목적지나 종착지가 아니라 우리 자신을 발견하는 순간이다. 소울메이트에게서 벗어나 우리 자신이 진정 어떤 사람인지 알아가기 시작하는 과정에서 어쩌면 우리는 새로운 인격을 형성하려는 노력 또는 새로운 자질을 갖추려는 노력을 하게 될지도 모른다. 왜냐하면 첫사랑을 할 때는 관습을 따르는 데, 또는 말 잘 듣는 자녀가 되는 데 온 신경을 집중했지만, 이제는 이런 면에서 완벽해야 한다는 압박감을 훌훌 털어버렸기 때문이다. 이제야 진정한 우리 자신의 다양한 면을 탐구할 여유가 생긴 것이다. 어쩌면 새벽 3시가 되도록 신나게 춤추고 있을 수도 있다. 또는 잘생긴 아랫집 이웃과 함께 술잔을 기울이며 노닥거리고 있을 수도 있다. 아니면 세상 사람들 전부 다 하는 것 같은 사랑이 내 팔자에만 없는 것 같다고 푸념하며 평생 사랑 따윈 하지 않겠다고 이를 갈지도 모른다.

소울메이트와의 관계가 끝나고 나면, 한동안 무엇이 우리를 행복하게 만드는지, 그리고 우리가 어떤 사람인지 이제 정말로 알았다는 걸 남들에게 증명하려고 애쓰기도 한다. 소울메이트 사랑에서 우리가 어떤 욕구를 충족하지 못했는지 깨달았으며, 그 사랑에서 벗어난 이제는 자신의 내면을 깊이 탐구해 반드시 고유한 본질을 찾아내야 한다는 생각이 들기 때문이다. 게다가 소울메이트 사랑이 끝날 무렵의 우리는 여전히 어린 나이이기 때문에 곧장 다시 연애를 시작할 게 아니라 인생을 조금 더 공부해야겠다는 생각을 하게 된다. 그러나 다른 사람과의 인생 경험을 방해 요소로 여기는 것과 자기 성장의 발판으로 삼는 것 사이에는 매우 큰 차이가 존재한다.

의심이 든다는 건 '다시 한 번' 노력해보라는 신호가 아니다

우리는 상대방과의 관계를 정리하기에 앞서 그 결정이 옳은

지 확신을 얻고 싶어 한다. 헤어지는 게 옳은 일이라는 확신이 들도록 상황이 악화될 대로 악화되길 바라는 사람처럼 말이다. 이러는 대신 우리는 확신이 없어도 괜찮다는 걸, 확신이 안 든다는 게 이 연애를 지속해야 한다는 의미는 아니라는 걸, 또 이런 마음이 들더라도 잘못된 게 아니라는 걸 배워야 한다.

우리는 자신에게 맞지 않는 연애로 돌아가는 것보다 새롭게 어딘가로 나아가야 하는 걸 더 두려워한다. 이는 실제로 과거의 연애 상대에게 다시 돌아간 적이 있었기 때문이기도 하고, 혹시 정말로 주위 사람들이 우리보다 우리 자신을 더 잘 알고 있는 게 아닐까 하는 의문이 생기기 때문이기도 하다. 모든 게 수월했던 시절이 그리워질 수도 있다. 특히 이제 막 데이트를 시작했거나 마음을 열어 새로운 시도를 하고 있다면 더욱 그럴 것이다. 그렇게 소울메이트와의 인연이 아주 특별하다고 느껴지면서 다시 그들에게 돌아가 한 번 더 노력해봐야겠다고 생각하게 된다.

여기서 반드시 짚고 넘어가야 할 문제가 하나 있다. 이런 의심이 싹트는 원천은 두려움인가 아니면 사랑인가? 실수할까 봐 두렵고, 앞날을 헤쳐 나가는 게 두렵고, 홀로 남는 게 두려운가? 아니면 상대방을 너무나 많이 사랑하기 때문에 이런 의심이 드는 것인가? 상대방이 정말로 노력하고 있는 것 같은가? 이 험난한 시기가 찾아온 이유가 두 사람을 더 가까운 사이로 만들어주기 위해서인 것 같은가?

시간이 흘러도 이런 의심이 가시지 않는다면, 그건 우리를 이 관계에 붙잡아두는 게 두려움이라는 의미다. 그렇다면 언젠가는 이 연애가 조금도 달라지지 않을 것이며, 달라지는 건 우리 자신뿐이라는 사실을 깨닫게 될 것이다. 이 사랑을 지금 끝내든, 몇 달 뒤에 끝내든, 또는 몇 년 뒤에 끝내든 우리가 이 관계에서 느꼈던 편안함과 익숙함을 문득문득 그리워하게 될 거라는 사실은 변함없다. 내 주변에는 소울메이트와 헤어지는 데 10년 또는 그 이상의 시간이 필요했던 이들도 있다. 내 고객 제스도 두 아이를 낳아 기르면서 12년이 흐른 뒤에야 계속해서 되돌아가고 있는 사랑이 자신의 숨통을 서서히 조이고 있었다는 사실을 깨달았다.

제스는 심지어 이사를 갔다가 다시 돌아오기까지 하면서 셀 수 없이 소울메이트에게 돌아갔다. 이 남자만큼 자신을 사랑해줄 사람이 없을 것 같다는 생각 때문이었다. 사실은 혼자 살 자신이 없다는 것도 큰 문제였다. 제스는 단순히 싱글로 돌아가는 상황이 두려운 게 아니라 '평생 혼자' 살까 봐 두렵다고 말했다. 감당하지 못할 만큼 두려움이 밀려올 때마다 남편에게 돌아가던 제스는 어느 날 밤 문득 어쩌면 남편에게는 아무런 잘못이 없을지도 모른다는 생각이, 사실 이들의 관계에는 아무런 문제가 없을지도 모른다는 생각이, 상황이 이렇게 된 건 자신이 그저 안전지대에 머물러 있었기 때문이라는 생각이 들었다. 이 관계에서 벗어나지 않는 한 제스는 자신이 느끼는 두려움의 이면에 무엇이 있을지 끝내 알 수 없을 것 같았다.

너무 극단적인 말이 아니냐고 묻는 사람들도 있겠지만, 이런 식으로 마음을 달래는 건 중독성이 매우 강하다. 이렇게 하면 불확실성이나 두려움을 전혀 경험하지 않아도 되기 때문이다. 또 우리 인생을 운명에 맡길 필요도 없어진다. 물론 시간을 들여 우리가 정말로 어떤 사람인지 알아낼 노력을 할 필요도 없어진다.

흥미로운 사실은 소울메이트와의 관계는 절대 달라지지 않는다는 것이다. 처음 만났을 때든, 12년이 흘러 두 아이를 낳은 뒤든 그를 향한 마음은 항상 같다. 그러나 문제 또한 변하지 않는다. 제스의 경우, 그녀가 그토록 오랫동안 추구했던 편안함이 결국은 새장이 되어 그녀를 가두고 말았다. 우리가 맨 처음 통화했을 때 제스가 흐느끼며 했던 말이 아직도 기억난다. "우리가 어쩌다 이렇게 됐는지 모르겠어요. 도대체 제가 왜 그냥 떠나지 못하고 이러고 있는지 모르겠어요."

간혹 우리는 함께할 운명이라서 소울메이트를 떠나지 못하는 거라고 생각하며 헤어지지 못하고 망설이는 자신의 모습을 지나치게 낭만적으로 바라본다. 그러나 대부분의 경우, 우리는 우리 자신, 그리고 계속 성장하고 공부해서 최고의 모습이 되라고 부추기는 일상에서 도망치기 위해 소울메이트를 탈출구로 이용하고 있을 뿐이다. 소울메이트와의 관계를 끝낸다는 건 마침내 성장할 준비가 되었다고, 그리고 정말로 우리 자신이 어떤 사람인지 들여다볼 준비가 되었다고 당당하게 말하는 것이다.

진짜로 멋진 인생 살기

최근 몇 년간 '멋진 인생 살기'라는 문구가 들불 번지듯 퍼지더니 어느새 '#멋진인생살기'라는 해시태그까지 생겨났다. 그러나 사실 우리가 인스타그램에 올리는 사진들은 대부분 멋진 인생을 사는 모습과는 크게 관련이 없다. 단순히 여행을 떠나거나 요가 또는 명상을 한다고 해서, 아니면 채식주의 식단을 따른다고 해서 진짜로 우리가 멋진 인생을 살고 있는 건 아니다. 새롭게 리모델링한 부엌을 담은 사진이나 한가로운 일요일 해변에서 낮잠 자는 사진을 올린다고 해서 진짜로 우리가 멋진 인생을 살고 있는 건 아니다. '멋진 인생 살기'란 남들에게 보여주기 위한 사진 한 장으로 정의하거나 겉으로 드러낼 수 있는 게 아니기 때문이다. 멋진 인생을 산다는 건 내면으로 느껴야 하는 일이다.

제스는 그저 자신의 본질을 잃은 게 아니라, 사실 한 번도 이를 발견한 적이 없었다. 소울메이트 사랑을 끝낸 이후 그녀는 어린 두 아이를 키우고 일을 하면서 동시에 자신이 어떤 사람인지 알아내야 한다는 벅찬 과제를 떠안고 있었다. 물론 이는 제시가 가야 할 길이었다. 그러나 경험에서 배워야 한다고 해서 우리가 언제까지나 고통 속에 파묻혀 있어야 하는 것은 아니다.

'내려놓기'라는 표현을 무언가로부터 벗어난다는 의미로 잘못 사용하는 경우가 많은데, 내려놓는다는 건 우리가 통제하겠다는 마음, 머릿속에 그려둔 이미지 또는 스토리를 버리고 인생이, 신이 우리에게 내주는 길을 따르겠다는 의미다. 우리 자신을 찾고, 소울메이트와 그들이 주는 안전지대를 떠나고, 궁극적으로 '#멋진인생살기'의 진정한 의미를 찾을 수 있도록 우리에게 자유를 준다는 의미다. 보석을 찾아 벼룩시장이나 크리스털 가게를 정처 없이 돌아다녀보겠다는 의미다. 색다른 스타일의 옷을 입어보고, 혼자서 여행을 떠나보기도 하겠다는 의미다. 온전히 우리만의 이야기를 써 내려가는 작가가 되겠다는 의미다.

소울메이트를 떠나는 게 불가능해 보이겠지만, 그의 곁에 남는 것은 훨씬 더 끔찍한 일이다. 단순히 연애에 실패하는 것이 문제가 아니라는 사실을 알게 되는 시기도 이 무렵이다. 진짜 문제는 우리가 참 자기를 찾을 수 없게 되고, 심지어 그게 무슨 의미인지조차 발견하지 못하게 된다는 것이다. 그렇기 때문에 때때로 우리는 '#멋진인생살기'라는 게 꼭 누군가와 연애 중이라는 의미는 아니라는 사실을 아주 힘들게 배울 수밖에 없다.

소울메이트 사이의 가벼운 섹스란 존재하지 않는다

소울메이트와 사귀고 헤어지길 반복하는 관계에서 중요한 교훈을 많이 얻을 수 있지만, 계속해서 소울메이트와 얽혀 있는 한 정말로 우리가 어떤 사람인지 본격적으로 알아가는 여정을 시작했다고 볼 수는 없다. 어쩌다 한 번씩 만나 잠자리하는 것도 포함해서 하는 말이다. 물론 힘든 세상이란 걸 잘 안다. 특히 성적 갈망이나 욕구를 채우기에는 정말 쉽지 않은 세상이다. 그러나 미래를 함께할 사람이 아니라는 걸 알면서도 계속 이런 방식으로 교류한다면 우리는 과거에 갇혀 결코 앞으로 나아갈 수 없게 된다. 제스의 경우만 봐도 그렇다. 그녀는 이런 식으로 소울메이트의 손을 놓지 못하고 있다가 결국 두 아이의 엄마가 되었다. 당연한 이야기이지만 헤어지지 못하고 질질 끌수록 이별은 점점 힘들어질 뿐이다.

제스의 사례는 사실 아주 전형적인 모습이다. 우리는 대부분 이전에 함께해봤던 사람, 우리가 사랑하는 사람, 함께 즐길 수 있는 사람과 섹스를 하고 싶어 한다. 그러나 섹스 자체만으로는 사랑이 되지 않는다. 소울메이트와의 섹스는 우리를 헤어진 연인과 성적으로 엮이게 만들어서 우리의 생기를 앗아가고 끝내 앞으로 나아가지 못하도록 우리의 발목을 잡을 뿐이다. 소울메이트 사이의 가벼운 섹스란 존재하지 않는다. 소울메이트와 가끔 만나 섹스를 즐기는 기간이 길어질수록 다음 사랑을 위해 노력할 가능성은 적어진다. 게다가 여기에는 중간에 아이가 생겨 소울메이트를 영영 벗어나지 못하게 될 위험성까지 존재한다.

세실리아의 이야기를 들어보자. 세실리아는 소울메이트와 이별한 상황이었다. 완전히 끝이었다. 세실리아는 그의 집에서 짐을 모조리 뺐고, 사람들에게 절대 이 남자와 재결합하지 않을 거라고 장담했지만, 사실 여전히 애착이 남아 있었다. 결국 두 사람은 다시 문자를 주고받기 시작했고, 남자가 보고 싶다며 집에 들러도 되겠느냐고 물었을 때 세실리아는 거절하지 못했다. 이번만큼은 정말 다를 거라는 생각이 또 다시 들었기 때문이었다. 물론 달라진 건 아무것도 없었지만. 세실리아는 또 다시 그에게 돌아갔다. 마지막으로 섹스한 지 6개월이나 되었던 터라 세실리아는 그 남자의 몸이 고팠던 것이다.

한 달 뒤, 자그마한 임신 테스트기에 핑크색 줄 두 개가 나타났다. 그때까지도 세실리아는 아이가 태어나면 상황이 달라질지도 모른다고 생각했다. 이미 그 집에서 나온 지 1년이나 되었고, 그 남자와는 다시 노력해볼 필요조차 없다는 걸 누구보다 잘 알고 있었지만, 세실리아의 마음속에 존재하는 아직 버리지 못한 작은 희망은 여전히 이렇게 속삭였다. '아마 이번에는 정말로……. 이번에는 정말로 다를 거야.' 그러나 결국 세실리아는 몇 년 더 그 남자와 삐거덕거리며 숱한 이별을 반복했고, 그러고 난 뒤에야 마침내 둘은 절대로 안 될 사이라는 사실을 깨달았다.

"너를 사랑해, 하지만 내가 꿈꾸는 미래의 나를 더 사랑해"

나는 울보다. 어찌할 수 없는 내 모습이다. 그렇지만 소울메이트와 완전히 끝냈을 때처럼 울었던 적은 없다. 정말로 가슴이 아팠다. 말 그대로 부엌 바닥에 주저앉아 걷잡을 수 없이 흐느껴 울었다. 마음만 아팠던 게 아니라 도대체 왜 내가 이런 일을 겪어야 하는 건지 이해할 수 없었다. 세상의 모든 게 너무나도 불공평해 보였다. 딸들 앞에서만큼은 정신줄을 잘 붙들고 있었다고 얘기하고 싶지만, 당시 내 딸들은 수도 없이 내 옆에 엎드려 날 이렇게 위로했다. "괜찮아, 엄마. 나도 가끔 울고 그래." 내 딸들은 내 옆에서 나와 함께 울어주기도 했다. 그러나 이때 부엌 바닥에 주저앉아 눈물을 쏟아낸 덕분에 나는 스스로를 찾아가는 여정에서 가장 필요한 준비물을 얻을 수 있었다. 그건 바로 다시 일어나 계속해서 나아갈 힘이었다.

소울메이트와의 관계를 끝내고 나면 더 나은 삶을 살 수 있고, 더 나은 존재가 될 수 있다. 그러나 곧바로 최고의 인생 또는 최고의 모습이 될 수 있는 것은 아니다. 그전에 우리는 그동안 자신에게조차 숨기고 있었던 사실을 샅샅이 꺼내 마주해야만 한다. 좋은 곳에 놀러가서 해맑은 얼굴로 찍은 사진들을 SNS에 올리는 사람들을 보며 최고의 인생을 살고 있다고 말할 순 없다. 최고의 인생은 가장 혼란스러운 시기에도 묵묵히 자신에 대한 확신을 지닌 사람만이 누릴 수 있는 것이다.

최고의 인생을 산다는 건 있는 그대로의 우리 모습을 아끼면서, 그러니까 만족하는 정도가 아니라 정말로 우리를 사랑하면서 행복하게 산다는 걸 의미한다. 당당하게 사는 것이다. 그렇다고 태평하게 살아야 한다는 건 아니다. 현실적으로 인생은 힘든 게 사실이니까. 삶의 난이도를 조절할 수 있는 버튼이 있는 것도 아니고, 상처받은 마음이나 실직, 뒤집어진 세상에서 벗어날 수 있는 것도 아니다. 가장 멋진 삶을 산다는 건 우리가 최상의 상태에 있다면, 지금 학부모 상담에 가고 있든, 여행을 떠나기 위해 비행기에 오르고 있든, 인생의 사랑과 시간 가는 줄 모르고 키스를 나누고 있든 간에 우리의 인생 또한 최상으로 느껴지리라는 사실을 배워가는 것이다.

우리 자신을 알아가는 여정에 간접적으로, 그리고 무의식적으로 시동을 걸어주는 것이 바로 소울메이트와의 관계다. 있는 그대로의 모습에 행복을 느낄 때 평화가 찾아온다. 현실에 안주하거나 더 이상 자기 계발에 힘쓰지 않아도 된다는 말이 아니다. 지금 모습을 있는 그대로 받아들이고 현실을 인정한다는 의미다. 소울메이트와의 사랑을 끝낸다는 건 마침내 용기를 내 이렇게 말하는 것이다. "너를 사랑해. 그렇지만 나는 내가 꿈꾸는 미래의 나를 더 많이 사랑해."

타인의 행복보다 우리 자신의 행복을 우선시하기로 마음먹고 끝까지 이를 포기하지 않겠다고 결정하는 순간, 비로소 진정한 행복의 문이 열린다. 최고의 삶을 산다는 건 우리 자신과 약속하는 일이다. 우리의 가치에 못 미치는 대우를 용납하지 않겠다는 약속이며, 이를 지켜 나가는 과정이다. 먼저 자신을 가치 있고 행복한 존재라고 생각할 수 있어야만 우리가 그에 합당한 대우를 받을 자격이 있다고 느낄 수 있다. 소울메이트 사랑을 끝낸 뒤 우리가 카르마 사랑에 빠져드는 것은 이런 이유에서다.

이를 어렴풋이 알고는 있어도 자신의 존재에 만족하지 못하기 때문이다.

치유되기 전까지 이 상처와 전혀 무관한 이들 때문에 계속 피를 흘리게 된다. 비난이나 편견 없이 있는 그대로의 우리 자신을 받아들이기 전까지는 우리 인생을 부정적으로 바라보는 사람들 틈에서 벗어날 수 없다. 우리 자신에 대해 아는 것은 우리의 꿈, 호불호, 열망, 동기, 우리를 자극하는 방아쇠와 함께 한집에 머무는 것만큼이나 복잡한 일이다. 이때까지 받은 모든 상처가 완벽히 치유되어 연분홍빛 흉터로 자리 잡은 이후로도 때때로 방아쇠는 당겨진다. 그러나 그때마다 우리는 상처를 더욱 깊이 치유할 수 있다. 그리고 우리의 영혼을 더욱 깊이 알게 된다.

최고의 인생을 살고 싶다면, 최고의 모습이 되고 싶다면 우리는 우리 존재와 인생, 연애에 대해 아주 큰 꿈을 품을 만한 가치 있는 존재라는 믿음을 가져야 한다. 부모님의 결혼 생활이 행복하지 않았다고 해서 우리도 그러리라고 생각해서는 안 된다. 아버지가 가족을 떠났다고 해서 모든 남자가 그러리라고 생각해서는 안 된다. 우리 자신은 아름다운 사랑을 받을 자격이 있는 존재라는 믿음을 가져야 한다.

소울메이트와 헤어진 뒤, 시간이 흐르면 흐를수록 우리는 가족이나 친구들의 의견에 휩쓸리지 않아도 되겠다는 생각을 하게 된다. 적당한 동네, 적당한 집안 출신의 소울메이트와 결혼하는 것을 주변에서 쌍수 들고 환영하더라도 우리가 품고 있는 진리와 일치하는 건 아니라는 사실을 깨닫게 된다. 우리의 진리에 일치하는 삶을 산다는 건 최고의 모습에서 한 걸음 더 멀리 나아가는 것이다.

소울메이트 사랑의 유일한 목적은 끝내는 것(실패가 아니라)이다. 우리에게 절실히 필요한 교훈을 줄 수 있도록, 그래서 마침내 우리가 앞으로 나아갈 수 있도록 말이다. 그중에서도 가장 중요한 교훈은 우리가 인생의 창조자가 되어야 한다는 것이다. 우리는 우리 자신만의 걸작을 만드는 예술가가 되어야 한다. 예술가라면 작품을 만들 때 결코 어머니나 형제자매, 이웃에게 붓을 넘겨주지 않을 것이다! 대신 우리는 꿈을 꿔야 한다. 캔버스 위에 드러내고 싶은 게 무엇인지 자신의 내면을 곰곰이 들여다봐야 한다.

삶의 경험이란 이런 것이다. 반드시 실험해야 한다. 우리에게 맞는지 맞지 않는지 확실히 알 수 있도록, 궁극적으로는 그것들이 인생이라고 부르는 걸작의 일부가 될 운명인지 아닌지 알 수 있도록 시간을 들여 갖가지 시도를 해봐야 한다.

사랑은 자기 성장을 위한 수단이다

사랑은 사랑이 전부가 아니다. 자기 성장을 위한 수단이기도 하다. 이를 더 빨리 받아들일수록 우리는 인생의 모든 가능성에 더 빨리 접근할 수 있다. 사랑은 결코 우리가 생각했던 방식이나 우리가 기대했던 방식으로 다가오지 않는다. 대신 우리가 상상도 못했던 온갖 달콤한 말을 쏟아내며 비단결 사이로 미끄러지듯 슬그머니 다가온다.

사랑을 성장의 발판으로, 경험의 수단으로 본다면 실패하는 사랑이란 존재하지 않는다. 이런 시각으로 사랑을 바라본다면 굳이 우리의 사랑을 인정해줄 사람, 우리를 칭찬해줄 사람을 찾을 필요가 없다. 이러다 끝나면 어떡하지 하는 생각에 두려워할 필요도 없다. 사랑의 종결이 최악의 시나리오는 아니니까. 너무 오랫동안 버티다가 인생의 선물을 경험하지 못하게 된다면 그것이야말로 최악이다.

나 역시 실연의 상처가 너무 깊어 숨도 못 쉴 것 같았던 때가 있었다. 빠져나갈 길이 보이지 않았다. 그 순간에는 내가 사랑하는 사람이 내 옆에 없다는 사실 외에는 다른 생각은 아무것도 들지 않았다. 이불 밖으로 나갈 생각조차 할 수 없을 만큼 힘들었다. 그냥 가슴 아픈 정도가 아니었다. 괜찮아지고 싶은 마음도 들지 않았다. 괜찮을 수 있다는 게, 잘 지낼 수 있다는 게, 그 사람 없이도 살아갈 수 있다는 게 싫었다. 이게 내 스토리가 되었다. 그 이유나 목적 따위는 전혀 생각하지 않은 채 말이다.

안타깝게도 이런 상황에서 할 수 있는 일이라고는 스스로에게 "어지간히 하라고!"라며 소리치는 것밖에 없을 때가 있다. 우리는 성장하기로, 달라지기로, 지금 이 순간의 현실을 있는 그대로 받아들이기로 마음먹어야 한다. 얼마 후 나는 상심한 상태로 지내는 데, 꿈쩍도 않다가 잠들기 직전 "나는 사랑받고 있어"라고 혼잣말로 속삭이는 데 신물이 났다. 결국 나 자신에게 신물이 났던 것이다. 그래서 나는 어떻게 해야 내 감정을 이해할 수 있을지 생각해내려고 무지하게 애썼다. 그리고 그때 처음으로 이 경험이 미래의 내 모습에 어떤 영향을 줄지 생각하면서 앞날을 위한 내 성장에 전념하기 시작했다.

소울메이트와의 양육, 적정선이 중요하다

소울메이트와의 관계를 끝내고 나서 인생의 다음 장으로 넘어가는 일은 언제나 어렵다. 더군다나 함께 낳은 아이가 있는 사이라면, 끊을 수 없는 줄로 엮인 것이기 때문에 훨씬 더 어려워진다. 이런 상황에서는 더욱 주의 깊고 신중하게 행동해야 한다.

우리는 소울메이트가 우리 삶에 가져다준 것에 감사하는 마음으로, 그와 경험한 사랑에 감사하는 마음으로 그를 바라볼 수 있어야 한다. 동시에 너무나 편안했던 이 사랑이 이제는 다음 단계의 사랑을 경험하지 못하도록 우리의 발목을 붙잡고 있다는 사실도 볼 수 있어야 한다. 낭만적이었던 이 관계를 이제는 플라토닉한 관계로 전환해야 한다. 자녀들에게 건강한 부모의 모습을 보여줘야지 아이들의 입에서 "이번 주에 엄마랑 아빠랑 같이 잘 거야, 따로 잘 거야?"라는 질문이 나오게 해서는 안 되니까. 이는 사랑의 여정이기도 하지만, 궁극적으로 진리를 깨닫는 여정이기도 하다. 이 관계의 현실을 볼 수 있어야만 비로소 이 패턴을 반복하는 고리를 끊어낼 수 있다.

세실리아는 한때 사랑했던 남편과 이제 공동 육아라는 평생 계약을 맺은 사이가 됐다는 걸 깨달았다. 상황이 지금과 달랐더라면 좋았을 거라는 생각도 들지만, 그럴 가능성이 조금도 없다는 것 또한 잘 알고 있다. 물론, 다시 잘해보려고 서로 노력했던 몇 년 동안 이보다 더 좋을 수 없다고 생각할 만큼 완벽했던 시절도 있었다. 그러나 남편은 또 다시 바람을 피웠고, 이번에는 다를 거라는 세실리아의 희망을 산산조각 내버렸다. 바람피우는 건 겁쟁이들이나 하는 짓이지만, 어떤 면에서는 운명이 아닌 상대와의 관계를 억지로 유지하려고 할 때 발생하는 부작용이라고 볼 수도 있다. 내가 나서지 않고도 상대방이 관계를 끝내주길 바라는 마음에 무의식적으로 걸리기를 바라며 바람피우는 사람들도 있다. 물론 어떤 사람들은 현재 진행 중인 러브스토리를 끝마치기도 전에 새로운 러브스토리를 시작하려는 어설픈 시도로 바람을 피우기도 하지만. 바람을 피웠다는 사실 자체보다는 그런 행동을 하게 된 까닭을 파악하는 게 더 중요하다.

세실리아는 남편이 자신에게 마음을 온전히 쏟고 있지 않다는 걸 진작부터 알고 있었다. 남편이 다른 사람을 사랑한다는 것도 알고 있었지만, 그래도 아이들에게 보여주는 사랑만큼은 부족하지 않았기 때문에 이를 핑계로 남편의 마음을 돌려보려고, 그렇게 관계를 이어가보려고 했다. 두 사람은 몇 년간 이런 식으로 관계를 유지했으나, 결국 상처 받는 데 지친 세실리아는 한 걸음 물러나 그와 공동 육아의 관계만 계속 유지하기로 결정했다.

세실리아가 이런 결정을 내린 뒤 두 사람은 자신들이 처한 상황을 다시 파악해야 했다. 두 사람은 지켜야 할 선을 마련해야 했고, 섹스 문제를 해결할 방법과 상대방이 다른 사람과 사랑하게 되었을 때 축하해줄 방법도 배워야 했다.

소울메이트와 함께 자녀를 양육하려면, 먼저 두 사람이 지켜야 할 것들로 인해 한동안 복잡해질 수도 있다는 사실을 받아들여야 한다. 헤어진 이후에 서로 얼마나 가까이 대할 것인지, 상대방에게 공동 양육자로서의 지원을 요구할 것인지, 아니면 연애 상대로서의 지원을 요청할 것인지에 다양한 면에서 확고한 기준을 마련해야 한다는 의미다. 소울메이트와 양육을 함께할 수는 있으나, 이는 바람직한 선이 존재할 때만 가능한 일이다.

이를 완벽하게 보여주는 예가 바로 타일러 페리 감독이 제작한 2014년도 영화 〈더 싱글 맘스 클럽The Single Moms Club〉이다. 영화는 성격이 제각각인 다섯 명의 여성을 소개하면서 시작한다. 등장인물들은 저마다 성격이 다르지만, 한 가지 공통점이 있다. 바로 싱글맘이라는 사실이다. 아이들이 학교에서 말썽을 부린 탓에 학교에 불려간 다섯 엄마는 다같이 학교 행사를 준비해 달라는 요청을 받는다. 엄마들은 성향이 모두 다르지만 하나같이 남자 문제로 골머리를 앓고 있다. 특히 적정선을 지키기 힘들다는 게 이들의 공통적인 문제다. 지배적인 성격의 전 애인부터 미숙한 아이 아버지를 상대하는 일까지, 다섯 엄마는 싱글맘이 겪을 법한 문제들을 공유하며 공감대를 형성해 나간다. 비슷한 경험을 나누고 우정을 쌓아가며 이들은 각자의 관계에서 선을 지킬 수 있도록, 더 행복하고 더 건강하게 살 수 있도록 서로 서로 도와주는 사이로 발전한다.

소울메이트 관계에서 선을 지킨다는 건 이기적인 행동이 아니라 행복을 위한 필수적인 행동이라는 사실을 반드시 이해해야만 우리 자신과 자녀를 지킬 수 있다. 자녀를 둔 소울메이트와는 평생 가족처럼 지낼 수밖에 없다. 그렇다고 해서 이 관계에 연애 감정이 섞이는 게 바람직하거나 자기 성장에 도움이 되는 건 아니다. 다시 한 번 말하지만 그는 당신과 함께 자녀를 양육하기로 합의한 소울 패밀리의 일원일 뿐이다. 그와 관계를 유지해야 하는 건 이 과정이 주는 교훈을 얻기 위해서이지 자녀가 성인이 되기까지 앞으로 18년 동안 두 사람의 관계를 돌이킬 수 있도록 노력해야 할 운명이라서가 아니다. 우리가 행복할 자격이 있다는 걸 알기 위해서라도 이 관계에 확실한 선을 그어두어야 한다.

괜찮지 않아도 괜찮다

소울메이트를 향한 사랑의 감정을 뒤로 하고 앞으로 나아간다는 건 이 여정이 우리를 어디로 이끌지 모르더라도, 그래서 두렵더라도 이 길을 충실히 걷겠다고 다짐해야 한다는 의미다. 이는 편안함과 성장이 함께할 수 없다는 걸 깨달았다는 의미이며, 우리가 간절히 바라더라도 이 사랑이 우리의 잠재력을 최대한으로 발휘하게 만들어주지 못하리라는 사실을 받아들인다는 의미다. 소울메이트를 아무리 깊이 사랑하더라도 그들과 함께 한다면 결코 최고의 인생을 살 수 없다는 것을 인정해야 한다. 우리에게 자극을 주지 않는 사랑은 결코 우리의 성장을 도울 수 없다. 달리 말하면, 우리에게서 꾸준히 빛이 나려면 반드시 마찰이 일어나야 한다.

일단 소울메이트 사랑을 통해 교훈을 얻고 그들과의 관계를 정리하고 나면, 우리 자신을 진정 행복하게 만드는 게 무엇인지 탐구할 준비를 갖추게 된다. 가장 소중한 이들에게 잘하고 싶다면 먼저 우리 자신에게 잘해야 한다는 사실을 깨닫게 되었기 때문이다.

모든 사랑에는 자신을 바라보는 우리의 시각이 반영된다. 따라서 우리 자신의 행복이 먼저라고 말할 수 있으려면, 오로지 우리 자신을 위한 행복의 의미를 찾는 여정을 떠나야만 한다. 오랫동안 인정받으려고 노력해왔던 사람들과 소울메이트에게서 진정으로 벗어나 홀로 서야만 앞으로 나아갈 수 있다. 자신이 어떤 사람인지 알아야만 진정한 사랑의 의미를 깨달을 수 있다.

두 번째;

• 카르마,
중독된 사랑

1장. 꿈
이번에는 제대로 할 거야

살다 보면, 지난 일은 잊어버리겠다는 다짐, 똑같은 실수를 반복하지 말아야겠다는 다짐에 너무 치중한 나머지 자기반성의 과정 없이 그저 새로운 인생이 펼쳐지기만을 바라는 시기가 있다. 그렇게 우리는 자기반성 없이, 우리의 트라우마를 자극하는 방아쇠가 무엇인지에 대한 고민 없이, 자신이 어떤 사람인지에 대한 깨우침 없이 그저 성급하게 새로운 길을 걷기 시작한다. 두 번째 사랑은 아주 좋은 의도로 시작된다. 그러나 우리가 여전히 이전의 패턴을 깨뜨리지 못한 탓에, 그리고 스스로를 들여다볼 시간을 갖지 못한 탓에 결국 카르마 사랑을 선택하고 만다.

인지하고 있든 그렇지 않든, 연애 상대를 선택할 때를 포함해 우리가 하는 모든 선택에는 개인적인 이유가 반영돼 있다. 그러나 이 단계에서는 그런 이유를 모를 가능성이 크다. 그래서 우리는 카르마의 연인을 선택한 이유를 말할 때 그가 행복을 주는 사람이라서, 다른 남자들과 달라서, 아니면 그냥 아주 재미있어서라고 대답한다. 그러나 이런 것들은 진짜 이유가 아니다.

진짜 이유라면 영혼과 진심이 깃들어 있어야 하며, 우리가 다른 걸 포기하고 이 길을 선택한 핵심적인 이유가 들어 있어야 한다. "이 사람과 같이 있으면 즐거워"와 "이 사람과 같이 있으면 계속해서 더 나은 사람이 되고 싶다는 마음이 생겨"가 다른 것처럼 말이다. 내가 만나본 사람 중에는 이렇게 단순하게 대답하는 남자들도 있었다. "아내와 결혼하기로 선택한 진짜 이유요? 간단하죠. 아내 없이는 단 하루도 살고 싶지 않았으니까요."

처음에 우리는 소울메이트와 이별한 상처가 완전히 치유되지 않았다는 사실을 인지하지 못한다. 아직 해결하지 못한 문제가 남아 있는 경우도 있다. 어쩌면 자기 존중감이 부족할 수도 있고, 가족이나 사회가 우리에게 씌워준 색안경을 아직 벗지 못해서 사랑을 제대로 바라보지 못할 수도 있다.

꿈꾸던 이미지와 사랑에 빠지다

카르마 사랑은 우리가 소울메이트 사랑에서 완전히 치유되지 않은 상태에서 시작된 사랑이기 때문에 꿈에 그리던 '그리고 행복하게 살았습니다' 스토리가 될 수 없다. 소울메이트와 관계가 끝나고 나서 우리는 사랑에 환멸을 느낀다. 그리고 의문이 든다. 이 사랑이 진짜가 아니었다면, 진짜는 뭔데? 사랑이란 게 존재하기나 해? 소울메이트가 못했던 것을 우리에게 해줄 수 있는 사람이 존재한다고는 상상하기조차 힘들다. 과연 또 다시 누군가를 믿을 수 있을까? 다시 사랑할 수 있을까? 영영 사라져버린 줄 알았던 마법을 믿게 되는 날이 과연 다시 올까? 계속 혼란스러울 따름이다.

그럼에도 여전히 우리는 스스로 해결해야 할 과제를 받아들일 준비가 되어 있지 않다. 카르마 사랑이 존재하는 이유는 우리가 계속 피하려고 하는 것들을 가르쳐주기 위해서다. 그러나 자기 인식이 충분하지 않은 탓에 우리는 이를 이해하지 못한 채 우리가 상대방에게 투영한 이미지와 사랑에 빠지게 된다.

두 번째 유형의 사랑인 카르마의 연인을 만나면 아주 정신없이 빠져드는 경우가 허다하다. 첫눈에 반하는 경험을 하기도 한다. 그러면서 이번에는 잘하고 있다고, 이 사랑이라면 정말로 우리를 치유해줄 거라고, 이 사랑이라면 우리가 바라던 모습이 될 수 있도록 도와줄 거라고 생각하면서 집착하게 된다. 그렇게 우리는 우리가 원하는 상대방의 자질만 바라보면서 사랑에 빠진다. 이와 반대로 우리가 우리 자신에게 원하는 모습을 바라보면서 사랑에 빠지는 경우도 있다. 상대방과 같이 있으면 우리가 더 나은 사람이 된 것 같은 느낌이 들기 때문이다. 이런 식으로 사랑에 빠지는 건 우리가 정말로 어떤 사람인지 알아가는 고된 노력을 피하고 싶어 하기 때문이다.

이본이 나를 찾아온 건 타인의 의견, 특히 언니들의 의견이 자신에게 너무 큰 영향력을 행사하는 것 같다는 이유 때문이었다. 언니들의 말을 듣고 나면 자기가 애인을 정말 사랑하는 건지, 이 연애를 시작한 게 올바른 결정이었는지 의심이 들 정도라고 했다. 이본은 가족간의 관계가 굉장히 끈끈한 가정에서 자라서 언제나 언니들과 모든 일을 함께했다. 하나부터 열까지 언니들 말대로 행동하며 살았다. 물론 의지되는 것은 사실이지만, 갇혀 있는 기분이었다. 다른 주로 떠나서야 처음으로 온전히 자기 자신으로 살고 있다는 느낌이 들었다. 아예 먼 곳으로 이사 가버리고 싶을 정도였다. 그러나 이 또한 쉽지 않았다. 언니들이 이본이 떠나는 걸 반대했기 때문이다.

결국 이본은 제대로 된 사랑을 하려면 가족들과 멀리 떨어져 그들로부터 자유로울 수 있어야 한다고 생각했다. 이본은 가족과 콜로라도에 살고 있었는데, 다행히 동부 연안으로 자주 출장을 다녔다. 그리고 출장 가 있는 동안 토니라는 남자를 만나 완전히 사랑에 빠졌다. 집에 있을 때보다 출장지에 나가 있을 때 마음이 더 편했다. 자신의 숨통을 조이던 가족들의 온갖 참견과 압박감에서 멀어지니 자유롭다는 생각이 들었다.

카르마의 연인과 사랑을 시작하는 단계에 접어들 때까지도 우리는 과거의 욕구와 욕망을 떨쳐내지 못한다. 전통적인 사랑의 틀을 버리지 못한 채 여전히 결혼하고, 집을 사고, 아이를 낳아야 한다고 생각한다. 그리고 가족들이 새 애인을 좋아할지, 그와 사귄다는 걸 알게 되면 사람들이 과연 어떻게 생각할지 걱정한다.

우리가 카르마의 연인을 선택하는 건 우리 스스로에게 바라는 모습을 그들이 갖고 있어서인 경우가 굉장히 많다. 상대방이 엄청난 얼짱이거나 몸짱일 수도 있다. '착한 여자'로 사는데 신물이 났을 때 마침 눈앞에 나타난 사람이 '나쁜 남자'일 수도 있다. 아니면 엄청난 부자나 아주 호화로운 생활을 하는 사람일 수도 있다. 어떤 모습이든 당시에 우리가 갖고 싶어 하는 모습을 상대방이 갖추고 있다면 우리는 쉽게 마음을 빼앗긴다. 이에 더해, 같이 있으면 뭔가 더 나은 사람이 된 것 같아서 상대방을 선택하기도 한다. 카르마의 연인을 보면 우리가 어떤 욕구를 가지고 있는지, 스스로에게 어떤 감정을 느끼고 있는지 알 수 있다.

한참 동안 소울메이트의 품을 벗어나지 못하다가 마침내 큰 용기를 내 그의 곁을 떠난 우리는 대단한 일을 해냈다고 느낀다. 그리고 이제는 완전히 다른 것을 원한다. 이번에는 단지 동화처럼 살려고 애쓰지 않는다. 이번에는 그저 아이의 아버지 또는 어머니라는 이유로 상대방의 곁에 남아 있으려고 하지 않는다. 이번에는 우리 자신을 위한 선택을 한다. 최소한 겉으로 보기엔 그렇다. 카르마의 연인과 밀월을 즐기는 동안에는 자기 성장의 과정을 전혀 거치지 않았음에도 진정한 사랑을 만났다는 생각, 드디어 사랑에 성공했다는 생각이 든다. 이번에는 다를 거라는 확신도 생긴다. 무슨 일이 있어도 이번에는 지난번처럼 망치지 않겠다고 굳게 다짐한다. 이 관계를 영원한 사랑으로 안내하는 하나의 디딤돌로 보는 게 아니라 우리가 꿈꿔왔던 마지막 사랑으로 보는 것이다.

카르마 사랑은 마치 우주가 마법을 부리기라도 한 것처럼 시작된다. 지나가다 낯선 이와 눈이 마주쳐 으레 그렇듯 형식적인 인사말을 주고받다가 갑작스럽게 사랑의 불꽃이 타오를 수도 있고, 직장에서 같은 프로젝트에 투입된다거나 동네 커피숍에서 주문이 뒤바뀌는 해프닝이 계기가 되어 사랑으로 발전할 수도 있다.

내 경우는 첫눈에 반한 사랑이었다. 당시 고등학교를 갓 졸업하고 온갖 꿈에 부풀어 있던 나는 재기발랄할 열여덟 살 소녀였다. 친구들과 함께 별생각 없이 동네의 어둑한 산책길을 걷고 있는데, 마치 내 영혼이 그의 위치를 알고 있기라도 한 것처럼 발걸음을 그가 있는 곳으로 이끌었다. 나보다 한 살 많은 남자였다. 흰 티셔츠에 검은 바지를 입은 모습이 영락없이 〈그리스Grease〉에 나오는 데니 주코 같았다. 마침 금발 머리에다가 생글생글 잘도 웃던 나는 그날 밤 이후 앞으로 어떤 드라마가 펼쳐지든 간에 기꺼이 샌디Sandy 역할을 맡겠다고 다짐했다. 180센티미터가 넘는 키에 건장한 체격, 도심에서 자란 공대생이라는 그에게 나는 홀딱 빠져들었다. 그렇게 그에게 사로잡혔고, 이전으로 돌아갈 길은 없어 보였다.

그를 만나기 전 내 꿈은 여행을 다니고, 대학에 가서 열심히 공부하고, 남과 다르게 사는 것이었다. 그런데 그를 만나자마자 내 관심사는 순식간에 사랑으로 바뀌었다. 느닷없이 찾아온 강렬한 사랑에 나는 말 그대로 중독되고 말았다. 그가 수시로 보내주었던 장미꽃 다발과 그가 세상에 발산하는 이미지에 중독됐다. 이뿐만이 아니다. 더는 희망이 없다고 생각했던 그 동화 같은 이야기에 다시 생명을 불어넣고 있었다. 두 사람이 사랑에 빠지고 행복하게 산다는 이야기는 내 마음속에서 그렇게 다시 살아나고 있었다.

카르마, 사랑의 빚 청산하기

카르마 사랑의 본질은 이 사랑의 단계에서 우리가 치러야 할 카르마가 있다는 것이다. 카르마를 오로지 부정적인 것으로 여기거나 나쁜 행동에 대한 응징으로 생각하는 경향이 있는데, 카르마가 상징하는 건 인과응보의 의미를 지닌 원圓이다. 카르마 자체는 긍정적이지도 부정적이지도 않다. 그저 반드시 필요하다는 의미를 지닐 뿐이다. 그러나 우리는 무릎 꿇어야 했던 순간들이 친구들과 웃고 떠들었던 순간만큼이나 꼭 필요하다는 사실을 이해하지 못한 채 인생의 모든 일에 우리의 감정을 기반으로 좋다 또는 나쁘다는 개념을 붙인다.

지구상에 존재하는 한, 우리 모두는 청산해야 할 카르마를 지니고 있다. 카르마는 대부분 전생에서 비롯된다. 예를 들어, 우리가 전생에 화가 많거나 비열한 사람이어서 사랑하는 사람들을 제대로 대우하지 않았다면, 현생에서 우리는 끔찍한 대우를 받게 될 것이다. 그렇게 부당한 대우를 받으면 어떤 기분이 드는지 깨달아 마침내 파괴적인 행동 패턴을 끝낼 수 있도록 말이다. 이런 의미에서 보면, 단지 카르마라기보다는 치유 과정을 거치는 카르마적 상처라고도 할 수 있을 것이다.

여기서 중요한 것은 우리가 어떤 경험을 하게 되느냐가 아니라 그 경험을 통해 어떤 교훈을 얻느냐다. 물론 어떤 이유에서든 타인에게 고통을 주어서는 안 된다. 배반 또는 부정한 행동을 정당화할 수는 없다. 그러나 모든 일에는 교훈이 존재하게 마련이다. 어떤 눈으로 세상을 바라볼지 결정하는 건 우리 자신이다. 이 일이 우리를 겨냥해서 일어난 것인가, 아니면 우리를 위해서 일어난 것인가? 새로운 시각으로 세상을 바라보면 피해의식에서 벗어나 그 안에 존재하는 교훈을 얻을 수 있다. 그러면 우리는 더 강하고, 더 현명하고, 더 자신감 있는 사람이 될 것이다.

카르마 사랑을 할 때 우리는 대부분 비슷한 교훈을 얻는다. 자기 목소리를 내지 못하고, 부당한 일을 당해도 참고, 혼자 되는 걸 두려워하고, 구원의 손길을 기다리기만 하던 카르마를 씻어내게 된다. 그렇게 우리는 이 사랑의 목적이 영원한 지속이 아니라 우리가 현생으로 지고 온 카르마를 청산하는 데 있다는 사실을 깨닫지 못한 채 이 연애를 시작한다. 소울메이트와 무수한 생을 거듭하며 함께했던 것처럼, 카르마의 연인 역시 전생에서 해결하지 못한 문제 때문에 현생에서 우리와 다시 만나게 된 것이다. 이 얼마나 운 좋은 일인가?

예전에 내가 전화기에 대고 애인에게 소리쳤던 일을 떠올릴 때면 매번 웃음이 터져 나온다. 그때 나는 이렇게 외쳤다. "우리 사이에 현생에서 볼일이 더 남아 있는지 잘 생각해봐! 다음 생에선 널 보고 싶지 않아서 그래! 할 말이든 할 일이든 뭐라도 남았으면 지금 해. 너랑 두 번 다시 이러고 싶지 않으니까!" 지금이야 웃으며 얘기하지만, 카르마 사랑이 얼마나 고통스러운지를 아주 잘 보여주는 일화다. 같은 고통을 되풀이하지 않으려면, 우리는 주어진 상황을 최대한 활용해 남은 빚을 청산해야 한다.

카르마를 단순히 청산해야 할 빚이 아니라 배움과 성장, 의식 고취의 기회로 바라보면 사랑하는 동안, 그리고 인생을 사는 동안 카르마를 청산할수록 우리 영혼의 격이 더욱 높아진다는 걸 알게 된다. 그러나 이때 중요한 건 내면의 진실을 발견하는 것, 자기 목소리를 내는 것, 과거의 패턴을 버리고 이전과는 다른 시각으로 사랑에 다가가는 것임을 잊어서는 안 된다.

카르마는 대부분 전생과 연관되어 있지만, 현생에서도 쌓여 간다. 카르마 사랑은 어릴 적 예상치 못한 이별로 받았던 상처를 씻어주기 위해서 또는 사랑할 준비가 되지 않은 우리 자신의 모습을 보여주기 위해서 찾아오기도 한다. 우리가 더 열린 마음으로 미래에 다가올 사랑을 맞이할 수 있도록 말이다. 우리는 카르마 사랑에서 교훈을 얻고 성장해서 상처 받은 자기가 아니라 높은 자기(higher self: 마음의 흐름에 영향을 받지 않는 참된 자기 모습인 인간 의식의 한 부분 — 옮긴이)를 행동의 주체로 만들어야 한다. 카르마는 우리가 씻어내야 하는 것이면서 동시에 우리가 만들어내는 것이다.

상대방이 원하는 '나'가 되기 위해 발버둥치지 마라

내가 할머니처럼 따랐던 폴란드인 밥시 여사가 삶의 마지막 1년을 보내는 동안, 나는 그분이 계시던 병원에 자주 찾아가 손톱에 매니큐어를 칠해드리기도 하고 라벤더 아로마 오일을 갖다 놓기도 했다. 병원에 찾아갈 때마다 빠뜨리지 않은 일이 있었는데, 바로 밥시 할머니와 대화를 나누는 것이었다.

밥시 할머니는 내 결혼 생활이 끝나기 전에 알츠하이머 진단을 받았다. 그런 할머니에게 나는 굳이 이혼 얘기를 꺼내지 않았다. 그런데도 할머니는 이미 다 알고 있는 것 같았다. 따뜻한 2월의 햇살을 받으며 병원 침대 끄트머리에 앉아 있던 날이었다. 할머니가 내 손을 꼬옥 잡더니 또 다시 사랑에 빠지게 되거든 잊지 말고 정신을 똑바로 차리라고 말씀하셨다. 모든 걸 다 알고 있는 듯한 밥시 할머니를 나는 사랑하지 않을 수 없었다.

할머니는 내가 장밋빛 안경을 벗지 않아서 사랑의 현실을 제대로 보지 못했다는 것까지 이미 알고 있었다. 그날 할머니가 내게 뭐라고 했는지, 또 그게 우리 모두에게 얼마나 중요한 말인지 나는 평생 잊지 못할 것이다.

카르마 사랑은 그 매력이 너무 강렬해서 우리의 목적과 욕구가 건강한 방식으로 일치하는지 차분히 돌아볼 여유를 주지 않는다. 오로지 사랑의 대상과 그 감정에 집중하게 될 뿐이다. 이 관계가 꼭 소울메이트와의 첫사랑을 만회하기 위한 사랑이라고 할 수는 없지만, 분명 우리는 이 기회를 통해 다시 한 번 인정받는 듯한 느낌을 받을 수 있다.

나 자신을 포함한 많은 사람이 이 시기에 성장했다고, 이전에 소울메이트와 함께 있을 때와는 전혀 다른 사람이 되었다고 느낀다. 그러나 사실상 이 무렵까지 우리는 스스로 어떤 사람인지 알기 위한 시간이나 노력을 전혀 들이지 않았을 가능성이 크다. 결국엔 또 다시 다른 사람을 통해 우리의 존재를 규정할 뿐이다. 소울메이트와 함께 미래를 꿈꾸고 앞날을 계획하는 대신 이제 카르마의 연인과 함께 꿈을 꾸고 계획을 세우기 시작한다. 여기엔 명확한 차이점이 존재하지만, 우리도 모르게 사랑의 단맛에 너무 깊이 빠진 나머지 이를 무시하고 만다. 이때까지도 우리는 누구의 연인이 아닌 우리 자신이 어떤 사람인지조차 명확하게 알지 못한다. 그리고 사실은 우리가 하는 많은 선택에서 고스란히 드러난다.

이 관계가 사실 건강하지 않으며 오래 지속될 가능성도 없다는 징후는 아주 초기부터 나타난다. 상대방이 바람을 피우거나, 언성을 높이거나, 심지어 말다툼을 하다가 우리를 움켜잡는 일이 생길 수도 있다. 그러나 이 사랑은 첫 만남부터 강렬하고 압도적이며 너무나도 중독성이 강하기 때문에 우리는 이 모든 징후를 보고도 무시하거나 별일 아니라는 듯 넘어가버린다.

이런 징후가 나타나는 방식은 매우 다양하다. SNS에 올린 게시물의 내용 또는 전 연인을 대놓고 질투할 수도 있고, 옷을 선물한다거나 미용실 예약을 대신 해주는 등 티 안 나는 방식으로 나타날 수도 있다. 옷 선물이나 미용실 예약 따위는 겉으로는 아주 달콤하고 사랑스러워 보이지만, 이런 행동에는 사실 상대방을 지배하려는 의도가 담겨 있다. 그러나 이번 연애만큼은 반드시 잘해보겠다고 다짐했기 때문에 우리는 상대의 허물을 감싸고 문제를 눈감아주며 자신을 계속 사랑의 고통 속으로 밀어넣는다. 과연 우리가 이토록 많은 노력을 쏟아부어야 할 만한 사랑이 맞는지 생각해볼 시간을 전혀 갖지 않은 채.

이 단계에서 우리에게 가장 크게 영향을 주는 것은 바로 혼자 되는 것에 대한 두려움이다. 혼자 되는 것에 대한 두려움은 소울메이트를 떠나기로 결정했을 때 표면화되는데, 소울메이트를 떠난 이후에도 우리가 얼마나 빠르게 (그리고 누구와) 다시 사랑을 시작하느냐에 크게 영향을 미친다.

두 번째 사랑에서 우리는 이번에는 반드시 제대로 하겠다는 꿈만 꾸는 게 아니다. '그리고 행복하게 살았습니다'라는 꿈도 꾼다. 누구와 사랑에 빠질지 우리 마음을 통제할 수 있을 거라고 꿈꾸고, 머릿속에 그리던 삶을 살 수 있을 거라고 꿈꾼다. 그러면서 우리는 여러모로 상대방이 우리를 통제하길, 우리에게 이래라저래라 할 만큼 강한 성격을 지니고 있길 바란다. 그래서 우리가 우리 일을 스스로 결정하지 않고 상대방에게 기댈 수 있도록 말이다.

그러다 보면, 우리와 가까이 있으면 좋겠다는 연인의 말 한마디에 그들의 집 근처로 이사하거나, 썩 좋은 사람 같지 않아 보인다는 말 한마디에 친구들과 연을 끊는 일이 생기기도 한다. 직업을 바꾸거나, 심지어 개종할 수도 있다. 중요한 결정을 함께 내려야 한다는 믿음 때문이라고 말하겠지만, 실상은 상대방이 원하는 모습이 되려고 발버둥치고 있는 것일 뿐이다. 상대방이 원하는 사람이 되려고 노력하는 것일 뿐이라고 생각하면서 모든 결정을 그와 함께 내려야 한다고 믿을 때 주로 이런 일이 생긴다.

제이다는 헤어진 연인을 잊지 못하겠다며 날 찾아왔다. "지금도 그 사람과 함께하고 싶어요" 정도가 아니었다. 그의 소셜 미디어 계정을 염탐하고, 그에게 연락할 명분을 꾸며내고, 심지어 그와 연락하는 상상을 하며 문자 메시지를 구상하는 등 심각하게 집착하는 모습을 보였다. 제이다는 단순히 자신의 연인을 잊지 못하는 게 아니었다. 너무 오랜 세월 그 남자에게 세뇌당한 상태였다. 제이다가 느끼는 자신감은 오로지 그가 주는 관심과 그에게 선택받은 여자라는 사실에서 비롯되었다. 그와의 사랑이 끝났지만 제이다는 그를 떠날 수 없었다. 단지 마음이 남아 있어서가 아니었다. 제이다는 자기 자신에 대해 전혀 알지 못했고, 남은 평생 혼자 살아야 할지 모른다는 공포에 휩싸여 있었다. 그녀는 그와 함께해야만 행복할 것 같다고, 더 나은 삶을 살 수 있을 것 같다고 말했다. 자신의 삶을 행복하게 만들어줄 열쇠를 남의 손에 넘겨준 게 자기 자신이라는 사실을, 그리고 그가 떠날 때 그 열쇠도 가져가버렸다는 사실을 전혀 깨닫지 못한 채 말이다.

카르마 사랑에 빠져 있을 때 우리는 상대방을 통해 우리 자신의 모습을 보는 미러링 효과(mirroring effect: 호감을 느끼는 사람의 말투나 동작을 무의식적으로 따라하는 행위를 의미하는 용어. 1902년 사회학자 찰스 호튼 쿨리는 거울을 통해 자신의 모습을 보는 것처럼 자아 관념은 타인과의 교류를 통해 형성된다고 주장했다.—옮긴이)에서 자유롭지 못하다는 사실을 먼저 인정해야 한다. 수많은 고객과 상담하면서 내 마지막 질문은 늘 같았다. "그래요. 지금 만나고 있는 그분은 사랑할 준비가 되어 있지 않네요. 과거에 만났던 남자들도 마찬가지고요. 그렇지만 그분들 탓으로 돌리기 전에 진지하게 생각해보세요. 당신은 사랑할 준비가 되어 있나요?" 그러면 언제나 변명 섞인 대답이 돌아왔다. 어렸을 때 상처를 심하게 받아서 그랬다고, 약한 모습을 보여주기 두려워서 그랬다고, 아니 약한 모습을 보인다는 게 도대체 무슨 의미인지조차 모르겠다고들 변명했다. 결과적으로 이들 역시 사랑할 준비가 되어 있지 않았던 것이다. 그리고 무의식적으로 자신과 마찬가지로 사랑할 준비가 되어 있지 않은 상대를 찾았던 것이다. 누군가는 상대방을 보면서 나는 절대 저렇지 않다고 말할지도 모른다. 그러나 자신의 진정한 모습을 마주하기 두려울 때 우리는 놀라울 만큼 상대방에게 의존하며 그들의 모습을 닮아간다.

카르마 사랑은 첫 번째 사랑과 다르지만, 시궁창 같은 현실에서 물러나도록 우리를 자극한다는 점은 썩 다르지 않다. 그러나 카르마 사랑은 분명 우리를 더 나은 사람으로 만들 수 있다. 이번에는 잘해보겠다고 다짐했지만, 롤러코스터처럼 널뛰는 연애 패턴이 초반부터 보일 것이다. 좋을 때는 한없이 좋지만, 그렇지 않을 때는 이보다 더 심할 수 없을 만큼 끔찍하다. 그래서인지 최악의 상황에 빠져 있을 때 우리는 이 다음에 마주칠 최고의 상황에 언제, 그리고 어떻게 도달할 수 있을지에만 온 신경을 집중하게 된다.

카르마 사랑을 할 때는 상대방과 열정적인 데이트를 하거나 낯선 곳으로 여행을 떠나 좋은 감정을 느끼다가도 상황이 순식간에 달라져 말다툼하다가 손찌검이 오가거나, 상대방이 셀 수 없이 바람을 피워 상담을 받는 등 극단적인 경험을 하게 된다.

강렬하고 압도적이며 중독적이고 상처뿐인 사랑

카르마 사랑에 빠져 있을 때는 우리 자신이나 상대방에게서, 또는 양쪽 모두에게서 자아도취, 지나친 동반의존, 통제, 학대 같은 문제가 드러나는 경우가 많다. 모든 관계가 다 그런 건 아니지만, 대개 카르마 사랑은 우리가 더 나은 모습으로 발전하는데 도움이 되기보다는 결과적으로 큰 상처를 주는 사랑이다. 초반에는 이런 문제가 별것 아닌 듯 보일 가능성이 크다. 단순한 질투나 불안이라는 가면을 쓰고 있는 경우도 있다. 그리고 이때 우리는 우리가 상대방을 바꾸려고 해서 그렇게 된 거라며 오히려 자기 탓을 하기 쉽다. 그러면서 우리가 이번에도 전혀 제대로 하고 있지 않다는 사실, 오히려 우리를 더 움츠러들게 만드는 방아쇠를 당김으로써 상대방으로부터 멀어지고 있을 뿐이라는 사실을 바로 보지 못한다.

자아도취에 빠진 사람들은 아주 자기중심적이라 자신의 이익을 위해서라면 서슴지 않고 남을 이용한다. 처음 봤을 때 이런 사람들은 매우 상냥하고 세심한 것처럼 느껴진다. 마술이라도 부린 것처럼 한눈에 우리를 이해하는 것만 같다. 또한 문자 폭탄을 날리든 영상 통화를 쏟아 붓든 엄청난 선물 공세를 하든 어떤 식으로든 우리에게 많은 관심을 보인다. 마치 그들에게 우리보다 더 중요한 건 없다는 듯 말이다. 그러나 이는 피해자를 낚는 방법에 불과하다. 이른바 '애정 공세'를 퍼붓는 단계인 것이다.

애정 공세를 퍼붓는 단계에서 우리는 그들에게 유일무이한 존재가 된다. 그들은 우리의 행동을 보고 힌트를 얻어가며 어떻게 하면 우리 감정을 능수능란하게 다룰 것인지 익혀간다. 이른바 미러링 효과가 강조되는 단계다. 이때 우리는 상대방에게서 보이는 우리의 모습을 보고 사랑에 빠지는데, 그들은 우리를 옭아매기 위해 그들에게 없는 특정한 자질까지도 투영해서 보여준다. 그 결과, 우리는 상대에게 빠르고 강력하게 빠져든다.

애정 공세는 회오리바람처럼 격렬하게 몰아친다. 관계는 매우 빠르게 발전한다. 그러나 실상은 자아도취에 빠진 상대방이 당신에게 뭔가를 원하고 있다는 것이다. 어쩌면 이 사랑을 통해 타인의 인정을 얻고 싶어 할 수도 있다. 대개 그런 사람들은 자존감이 아주 낮다. 또는 물질적인 것이나 자신감을 얻고 싶어 할 수도 있다. 이런 경우는 당신이 지닌, 그들이 갈망하는 자질에 주목해 소유욕을 드러내는 것이다. 그러나 손뼉도 마주쳐야 소리가 난다고 아무리 자아도취에 빠진 사람들이라도 혼자서는 이런 관계를 만들어내지 못한다. 그들에게는 자신의 관심과 행동에 호응해줄 누군가가 필요하다. 자아도취자의 완벽한 파트너는 동반의존자다. 동반의존적인 상대가 바라는 것은 애인의 인정 욕구를 충족시킴으로써 본인 스스로 더 나은 존재가 됐다고 느끼는 것 하나뿐이기 때문이다.

카르마 사랑은 지배적이거나 폭력적인 모습을 띠기도 한다. 우리가 상대방과 트라우마적 유대를 형성하고 있기 때문에 이런 관계가 만들어지는데, 이런 이유로 카르마 연인과 헤어지는 일은 소울메이트와 이별하는 것보다 어렵다.

트라우마적 유대는 우리에게 유해한 상대방과의 의리를 바탕으로 한다. 우리가 이 사람과 연인이 된 것은 둘의 관계가 어마어마하게 건강해서가 아니라 둘 다 너무 비참했기 때문이다. 이러한 유형의 연애는 두 사람의 비슷한 상처, 두려움, 카르마를 밑바탕으로 한다. 트라우마적 유대는 우리가 이보다 더 잘할 수는 없으리라는 생각 또는 특정 궤도에서 벗어날 수 없다는 믿음에서 비롯된다.

자아도취, 동반의존, 폭력을 기반으로 한 연애는 물론이고 단순히 건강하지 않은 모든 연애는 공유된 상처와 고통을 중심으로 만들어진다. 이런 연애는 우리가 더 나은 대우를 받을 자격이 없다고 느낄 때, 긍정적 자기상 혹은 자기 가치가 결여됐을 때, 자기 자신을 사랑하는 방법을 배우는 과정에 있을 때 하게 된다.

카르마 사랑은 마치 마약 같다. 좋을 때, 그러니까 애정 공세를 받고, 온갖 선물을 받고, 여행을 가고, 섹스할 때는 좋은 기분에 잔뜩 취해 도저히 헤어 나올 수 없다. 그렇기 때문에 위기를 맞아도, 상대에게 실망하거나 배신감을 느껴도, 엄청나게 크게 싸워도, 심지어 상대가 바람을 피워도 떠나지 못한다. 사랑을 하면서 느끼는 긍정적 감정으로 우리가 자신에게 느끼는 부정적인 감정을 상쇄하는 데 중독되어서 헤어 나오지 못하는 것이다. 이 시기에는 자기 수련의 개념을 인식하지 못하거나 자기 수련을 어떻게 해야 하는지 모르기 때문에 카르마 연인이 주는 사랑의 마약에 쉽게 중독된다. 치유 단계에서 선택하는 사랑은 상처 속에서 하는 사랑과 전혀 다를 수밖에 없다.

마야는 겉으로 보기엔 자신만만한 것 같았다. 그녀는 어디에서나 자신 있게 행동했고, 아주 창의적이었으며, 큰 포부를 지니고 있었다. 하나같이 자아도취자를 끌어당기는 자질이다. 마야는 자기 인생의 대부분을 동반의존자—자아도취자의 연애 관계 속에서 보내고 있었다는 사실을 전혀 알지 못했다. 처음 얼마간은 모든 게 괜찮았다. 몇 차례 아름다운 사랑을 경험했고, 많은 남자를 도왔다. 그러나 남자들에게 셀 수 없이 배신당했고, 결국 가슴 아픈 실연을 겪었다. 그런데도 마야는 이런 사이클을 계속해서 되풀이해왔다.

자세히 살펴보니 마야의 자의식은 실제로 그렇게 단단하지 않았다. 게다가 마야는 남자들과 동반의존적 관계를 맺음으로써 자기 존재를 확인하려고 들었다. 나는 마야에게 가치와 치유가 그녀에게 어떤 의미를 갖느냐고 질문하면서 동반의존에 관한 대화를 시작했다.

느닷없이 켜지는 불빛처럼 갑자기 자기 인식이 이루어지는 순간이 있지 않은가. 마침내 마야가 자신이 처한 상황을 있는 그대로 바라봤던 그 순간이 지금도 생생하게 기억난다. 그때 그녀는 충격을 받아 이렇게 말했다. "세상에, 내가 미친 게 아니었다니. 이게 정말로 내게 일어나고 있는 일이라니!" 마야는 오히려 자신의 연애 패턴 뒤에 숨겨진 이유가 있었다는 사실에 안도 했다. 마야는 곧바로 달라지기 위한 선택을 하기 시작했다. 이는 더 이상 그녀가 사랑했던 자아도취자의 완벽한 희생양으로는 살 수 없다는 걸 의미했다. 마야는 동반의존적 사이클을 끊어내는 동시에 이 연애도 끝내야만 했다.

소울메이트와의 관계를 끝내고 나면 우리는 신나는 일, 정열, 살아 있다는 감정을 찾으려 한다. 가족과 사회가 세운 장벽, 우리의 진정한 자아를 찾지 못하도록 가로막고 있던 장벽을 우리 힘으로 허물었다는 느낌을 받고 싶어 한다. 카르마 사랑은 결과적으로 건강하지 않지만, 최소한 지루해질 틈을 주지 않는다. 또 우리에게 상대방과 더 깊은 수준의 친밀감을 형성하는 중이라고 거짓말하며 우리를 몰고 간다. 모든 게 순식간인 이 시기에는 상대방과 결혼 약속을 하거나 선불리 동거에 들어가는 일이 아주 흔히 발생한다. 바로 이 사람이 진정한 나를 알게 해준다는 느낌, 바로 이 사람이 나를 완성시켜준다는 느낌 때문이다.

사랑하지 않는다고 온전하지 않은 존재는 아니다

카르마 사랑이 너무도 강렬해 초반부터 뻔히 보이는 문제들을 무시하고 넘기는 건 드문 일이 아니다. 그러나 우리에게는 이런 시기 역시 필요하다. 다른 사람을 찾는 방식으로는 우리의 결핍을 채울 수 없다는 걸 이때의 경험을 통해 알게 되기 때문이다. 타인의 시선에 의존해서는 자신을 평가할 수 없으며, 자기만족도 얻을 수 없다. 우리 내면에 존재하는 공허함을 다른 사람을 통해 채우려 한다면, 그저 사귀고 헤어지는 일을 끊임없이 반복할 수밖에 없다.

이번에는 잘해보겠다고, 한번 제대로 해보겠다고 마음먹었지만, 이 연애가 잘될 리 없다. 자신을 바르게 이해하려는 노력이 없었기 때문이다. 우리는 자신이 어떤 사람인지, 우리가 그동안 어떤 행동을 했는지, 또 우리에게 어떤 일들이 있었는지 진정으로 이해하기 위한 시간을 가진 적이 없다. 그러면서 여전히 외부로부터 인정받고 싶어 한다. 소울메이트 사랑을 통해 가족의 인정을 받으려는 시기는 지났을지 몰라도, 우리에게 상처가 될 사랑이 주는 자극과 중독, 상대방의 인정을 받으려고 하는 것이다. 그러면서도 여기에서 벗어나야겠다는 생각을 하지 못한다.

연애를 시작하기에 앞서 자신에 대해 제대로 알아야 한다는 건 카르마 사랑의 단계에서 인지할 수 있는 사실이 아니다. 이때 우리는 어떤 사람이 될지 깊이 생각하기보다는 어떻게 해야 이 야성미 넘치는 애인의 파트너가 될 수 있을지 고민하느라 바쁘다. 우리는 스스로 중요하고 쓸모 있는 존재라고 느끼고 싶은 마음에 상대방에게 무언가 줄 수 있는 존재가 되길 바라고, 특정한 모습으로 비치길 바라고, 심지어 그들에게 재정적으로 또는 정서적으로 필요한 존재가 되기를 바란다. 우리는 무의식적으로 이 사랑을 잘 풀어 나가기만 하면 우리의 기분도 좋아질 거라고 믿는다. 이 사랑이 그저 몰락이 아니라 화염에 휩싸이듯 끝장날 운명이라는 걸 전혀 알지 못한 채 말이다. 우리는 결국 잿더미에서 다시 한번 날아오르겠다는 선택을 해야만 한다.

소울메이트 사랑과 카르마 사랑은 공통적으로 우리가 어떤 존재인지 아주 살짝 보여준다. 그러나 우리는 내면에서 레이더가 작동하는 것을 느끼면서도 자신감이 부족해서 우리의 감정을 신뢰하지 못하고, 내면의 목소리가 아니라 외부의 것에만 초점을 맞춘다. 이 경우에는 여전히 결핍에만 초점을 맞춘다.

이렇듯 내면의 결핍과 연애의 결핍에 초점을 맞추다 보면 오로지 외부적인 요소를 통해서만 인정과 자신감을 얻을 수 있게 된다. 이런 상황에서는 우리가 어떤 사람인지가 아니라 다른 사람이 우리를 어떤 사람으로 보는지가 중요하다. 또한 우리가 무엇을 할 수 있는지가 아니라 이 사람과 사랑하면 무엇을 할 수 있을 것 같은지가 중요하다. 무엇보다 큰 문제는 사랑 하고 있지 않다는 이유만으로 우리 자신이 온전하지 않은 존재라고 느낀다는 것이다.

결핍을 원동력 삼아 행동한다는 건 우리가 여전히 자아로부터 벗어나지 못했다는 증거다. 우리에게 필요한 게 무엇인지, 우리가 원하는 게 무엇인지, 우리가 이미 가지고 있는 게 무엇인지 아직 다 알지 못하기 때문에 이런 현상이 빚어진다. 그 원인으로는 자신감, 자기 존중감, 자기 가치감뿐만 아니라 사랑 자체도 포함된다. 우리가 정말 사랑받지 못한다고 느낄 때는 우리 자신을 사랑하지 않을 때뿐이다.

이때까지도 우리는 자아를 원동력 삼아 행동한다. 우리의 무가치함을 확인해주거나 우리의 자신감에 피상적인 연료를 제공하는 사랑을 추구하면서. 어떤 일이 바로잡혔으면 좋겠다고 생각하면 우리가 바로잡을 수 있을 거라고 기대하면서 말이다. 정말로 영원한 사랑은 우리가 무엇을 원하는지와 무관하게 흘러간다. 정말로 영원한 사랑이라면 어떤 상황에서든 일어날 수밖에 없으며, 결국 두 사람을 하나로 이어주게 되어 있다.

그러나 우리는 사랑을 통제하겠다는 마음을 포기하지 못한다. 여전히 사랑을 통해 우리가 누구인지, 우리가 이 세상에서 어느 부분을 차지하고 있는지 정의하려고 하기 때문이다. 그래서 우리는 매달리고, 눈앞에서 번쩍이는 경고 신호를 무시하고, 이번만큼은 틀리지 않았다는 결과가 나오길 희망한다.

강해져라, 두 발로 설 수 있을 만큼

"그렇지만 제게도 자유의지라는 게 있잖아요." 내가 고객들에게 이런저런 행동을 하지 않았느냐고, 아니면 안 하지 않았느냐고 물어볼 때마다 메아리처럼 돌아오는 변명이다. 정말이지 이런 변명은 찡찡거리는 어린아이의 투정이나 다름없다. 자유의지는 우리가 여전히 모든 것을 통제할 수 있다고 생각하게 만들고, 또 우리 생각대로 선택하면 된다고, 아니 그렇게 해야 한다고 생각하게 만드는 자아의 가면이다. '그래, 다른 사람들한테는 이 사랑이 정상이 아닌 것처럼 보이겠지만, 내게는 자유의지가 있으니까 내 마음대로 선택할 거야' 또는 '그래, 나는 다른 사람을 사랑하고 있지만, 이 관계를 유지하고 싶어. 왜냐하면 내게는 자유의지가 있으니까' 이렇게 생각하는 식이다. 그러나 어느 순간이 되면 우리는 성장해야 한다. 그래서 중요한 건 자아도, 자유의지도 아니라는 사실을 깨달아야 한다. 정말 중요한 건 우리 내면의 목소리가 우리에게 어디로 가라고 말하는지, 또 무슨 얘기를 하고 싶어 하는지 아는 것이다. 평생 자유의지를 앞세우며 살아갈 수도 있지만, 그렇게 해서는 결코 진정 행복해질 수 없다.

물론 카르마의 연인과 결혼까지 가는 경우도 있다. 이번에는 절대 실패하지 않겠다고 작심한 까닭에 이 관계를 바로잡기 위해서라면 무엇이든 하겠다고 나서다가 결혼까지 하는 것이다. 소울메이트와의 사이에서 낳은 자녀가 없는 상태라면 대부분 카르마의 연인과 결혼해서 가정을 꾸린다. 고등학교를 졸업한 직후부터 20대 후반 사이의, 아직은 어리다고 할 수 있는 나이대에, 그러니까 우리가 이번에는 정말 예전과는 다르게 하고 있다고 생각하는 나이대에 흔히 카르마 사랑에 빠진다. 그러나 사실 이때까지도 우리는 그저 앞에 놓인 계획을 따르고 있을 뿐이다. 다만 우리가 사랑하는 대상이 우리를 롤러코스터 같은 감정에 중독되도록 만든다는 사실만 다를 뿐이다.

두 번째 사랑에 푹 빠져 있을 때는 이 관계를 유지하는 게 가장 큰 관심사다. 고민할 틈 따위는 없다. 그러나 이런 상태가 계속된다면 분명 1년 안에 상담사나 치료사를 찾게 될 것이다. 이미 실패한 사랑이라는 걸 인정하지 않을 수만 있다면 무슨 노력이든 기꺼이 하려고 들 것이기 때문이다. 연애 초기에 개인의 핵심 가치나 신념과 관련해 문제가 생겼다면 관계 코칭이 유익할 수도 있다. 그러나 이는 두 사람의 타고난 차이 때문에 이 연애가 평화롭고 건강하고 장기적으로 유지될 가능성이 희박하다는 신호이기도 하다. 그렇다고 해서 이 두 사람이 연애할 수 없을 거라고 이야기하려는 것은 아니다. 다만 이 사랑이 건강하게 장기적으로 지속되지는 않을 것이다. 자유의지의 고집을 이기지 못하는 순간이 찾아올 것이기 때문이고, 우리가 행복이나 희망이 아니라 두려움과 상처에 기반해 선택할 때가 생길 것이기 때문이다.

애슐리는 카르마 사랑과 결혼해 가정을 꾸렸다. 애슐리와 내가 처음 만났을 당시, 그녀는 마음의 평화를 포함해 자신의 모든 것을 앗아간 결혼 생활을 수년째 유지하고 있었다. 애슐리가 나를 찾아온 것은 남편이 바람을 피우고, 성병을 옮기고, 자녀들을 방치하고, 자기를 두들겨 패는 상황인데도 내 도움을 받아 "상황을 바로잡기" 위해서였다. 대판 부부싸움을 하고 왔다면서도 애슐리는 남편이 얼마나 멋진 남자인지, 자신이 그를 얼마나 사랑하는지 설명하며 계속해서 상황을 바로잡으려고 애썼다.

이처럼 무엇이 우리의 욕구를 채워주는지 제대로 인지하지 못한 채 이번이 사랑과 행복을 얻을 수 있는 마지막 기회일지 모른다는 두려움 때문에 관계를 내려놓지 못하는 경우가 있다. 그 결과, 우리는 아무런 조건 없이 우리를 품어주는 사랑을 택하지 못하고, 우리가 더 나은 사람이 될 수 있게 도와주는 사랑을 택하지 못한다. 그러면서 이번에 내려놓았다가는 영원히 혼자 될까 봐 두려워하기만 한다.

상담 초반에 나눴던 전화 통화에서 애슐리가 내게 드러낸 감정도 다르지 않았다. "혼자는 안 돼요. 이 사람을 떠났다가 평생 혼자 남으면 어떡해요. 저는 한 번도 혼자였던 적이 없단 말이에요." 다른 여성들에게도 이미 여러 번 같은 말을 들어보았던 터라 나는 그들에게 했던 것과 똑같은 대답을 애슐리에게도 해주었다. "우리가 가장 두려워하는 바로 그 경험이 사실 우리가 반드시 해야 하는 경험이에요. 그 경험을 하기 전까지는 결코 이 패턴에서 벗어날 수 없을 테니까요." 이 단계에서 우리에게 가장 필요한 일은 온전히 우리 두 발로 설 수 있을 만큼 강해지는 것이다.

완벽한 연인을 기다리지 말고 스스로 구원하라

우리 내면 가장 깊숙이 자리 잡은 두려움을 직면하기 전까지 우리는 계속해서 상대방에게 지배당할 수밖에 없다. 그러다 결국 이런 상황이 오면 두려움에 얼어붙거나 빠져나갈 길이 보이지 않을 만큼 앞이 막막해진다. 건강한 연애 상대라면 스스로 구원하는 방법을 배우는 일을 대신 해주지 않을 것이다. 물론 모든 일을 혼자 힘으로 해 나가야 하는 건 아니지만, 관계에서 벗어나기 위해 다른 관계를 이용해서는 안 된다. 세상에는 오로지 혼자 힘으로 해결해야 하는 일도 있는 법이다. 자기 성장은 벗어날 길도, 가로질러갈 지름길도 없는 법이다.

이 단계에 있을 때도 우리는 여전히 모든 징후를 무시할 가능성이 크다. 모든 게 괜찮은 척하려 애쓰지만, 사실 마음속 깊은 곳에서는 그렇지 않다는 걸 알고 있다. 평생 혼자 된다는 것에 대한 두려움에 맞서야 하는 상황, 건강하지 않은 관계에서 혼자 힘으로 빠져나와야 하는 상황에 직면한다는 게 결코 쉬운 일은 아니지만, 이러한 경험에서 우리가 얻게 되는 것은 그 누구도 앗아갈 수 없다.

이 사랑을 통해 얻어야 할 가장 중요한 교훈은 우리 이야기의 주인공이 바로 우리 자신이라는 것이다. 진흙탕 밖으로 나가서 허리춤을 추어올리고 앞길을 헤쳐 나갈 것인지 말 것인지 결정하는 것은 순전히 우리 자신에게 달려 있다. 도무지 어떻게 해야 할지 모르겠고, 앞이 암흑처럼 캄캄하더라도 말이다. 우리는 패턴을 바꿔야 하고, 우리가 매력을 느끼는 대상도 바꿔야 한다. 이는 우리가 내보내는 진동을 바꿔야 한다는 의미이기도 하다.

삶의 모든 것에는 진동 주파수가 있다. 사랑이나 행복 같은 감정은 진동 주파수가 높은 반면 질투나 분노, 원한 같은 감정은 진동 주파수가 낮다. 정말로 우리 자신에게 더 나은 선택을 하기 위해서는 뭐든 계획대로 하겠다는 욕심을 버려야 한다. 다시 말해 벗어나야 할 때를 알아야 한다. 특히 비행기가 이미 불

길에 휩싸여 고꾸라지고 있는 상황이라면 말이다. 누구도 사랑의 순교자가 되어서는 안 된다.

이 단계에서 우리는 더 이상 부모님을 기쁘게 해드리려고 애쓰지 않지만, 그래도 여전히 사랑에 실패하지 않으려고 지나치게 노력한다. 우리가 건강한 연애보다 완벽한 스토리를 만들기 위해 더 많은 노력을 기울이는 한, 우리는 계속해서 자신을 억제하며 진동수를 낮추는 선택을 하게 될 것이다.

정말 중요한 건 '레벨 업leveling up'이다. 레벨 업이란 스스로에게 집중함으로써 자신의 진동수를 높이는 것이다. 그렇게 하면 우리는 이전과는 다른 부류에 속하는 사람들의 마음을 끌어당길 수 있게 된다. 스토리보다 자기 자신을 우선적으로 선택하면서 우리가 해야 할 일을 하기 시작하면 우리의 행복 지수가 (결과적으로 우리의 진동수까지) 본질적으로 상승한다. 그리고 그때부터 비슷한 수준의 사람들을 끌어당기기 시작한다.

사랑은 결코 우리가 생각했던 대로 흘러가지 않는다. 한 달만에 끝나는 사랑이든, 이 땅에서 마지막 숨을 내쉴 때까지 지속되는 사랑이든, 사랑의 온전한 목적은 관계에서 배우고 성장하는 것이기 때문이다. 사랑은 우리를 변화시킬 힘을 갖고 있고, 어린 시절의 두려움과 상처에 대처하게 할 힘을 갖고 있다. 또 사랑은 우리가 연애를 통제할 수 있다는 생각을 버리게 할 힘을 갖고 있다. 이는 카르마 사랑을 하는 단계가 되면 우리가 비로소 끝나야 할 운명이라면 무슨 수를 쓰더라도 우리 힘으로 지속시킬 수 없다는 사실을 깨닫기 때문에 그렇다. 우리에게는 올바르지 않은 것을 바로잡을 능력이 없다.

먼저 자신과의 관계를 성공적으로 이끌어 나가기 위해 노력하기 전까지 우리는 어떠한 관계도 성공적으로 풀어갈 수 없다. 우리는 초기에 드러나는 경고 신호를 보고도 무시하면서, 우리가 꿈꿨던 사랑이 아닐 수도 있다는 걸 알면서 우리의 선택이 틀렸을까 봐 두려운 마음에 계속 관계를 이어가며 서로 상처를 주고받는다. 이번에 틀리면 다시 처음으로 돌아가야 할 테니까. 매일 밤 홀로 잠자리에 들어야 했던 그때, 거울 속에 비치는 사람이 나 말고는 없었던 그때로 다시 돌아가야 할 테니까.

그러나 이 모든 일이 일어난 데는 다 그만한 이유가 있는 법이다. 이 모든 게 세 번째 유형이자 마지막 사랑에 도달하기 위한 일련의 과정이다. 카르마의 연인과 수년간 함께할 수도 있고, 안전한 소울메이트와 새 애인 사이를 셀 수 없이 오갈 수도 있다. 그러나 이 모든 일은 궁극적으로 우리가 꼭 필요한 교훈을 완벽하게 숙지하기 위해 반드시 거쳐야 하는 과정일 뿐이다. 눈앞에 놓인 상황을 외면하고 싶을 때도 있고, 반드시 피해야 할 상황이 눈앞에 펼쳐질 때도 있을 것이다. 그러나 어쨌든 우리가 보는 시각이 달라지기 시작해야만 상황도 달라진다. 그러니까 우리 손으로 상황을 바로잡으려는 노력을 그만둬라. 그냥 운명이 이끄는 대로 내버려둬라. 그래서 우리가 얻어야 할 교훈이 하나 더 생긴다고 하더라도 말이다.

2장. 현실
우리는 서로에게
최악의 모습을 보인다

"지옥으로 가는 길은 선의로 포장되어 있다The road to hell is paved with good intentions"는 속담만큼 카르마 사랑을 잘 묘사한 말은 없을 것이다. 연애가 잘 풀리지 않으면 우리는 마치 모든 게 상대방의 잘못인 것처럼 책임을 떠넘기려고 한다. 사랑이 성공하려면 두 사람 모두 노력해야 한다는 생각을 하지 못하고 말이다. 관계가 무너져 잿더미가 되는 데는 두 사람 모두 어느 정도 책임이 있게 마련이다.

카르마 사랑을 시작할 때 우리는 스스로에게 바라는 자질을 연인에게 투영한다는 걸 알지 못한다. 상대방의 야성미, 자유로움, 활력 넘치는 삶 등 무엇이 됐든 간에 처음 우리의 마음을 사로잡은 바로 그 자질은 사실 우리가 갖고 싶어 했던 것들이다. 이 단계에서 우리는 서로의 차이를 인지하려고, 이전과는 다른 선택을 하려고, 현재에 더 집중하려고, 더 큰 책임감을 가지려고, 이전보다 더 다정한 사람이 되려고 노력한다. 우리가 달라지면 이 사랑의 결과도 좋아질 거란 기대 때문이다. 그러나 우리가 깨닫지 못한 중요한 사실이 하나 있다. 연애 관계에 정말로 큰 영향을 미치는 것은 겉으로 드러나는 행동의 변화가 아니라 내면의 변화라는 사실이다.

카르마 사랑은 진정한 사랑, 영원한 사랑을 찾아가는 여정 중에서도 가장 고통스러운 단계다. 우리가 생각보다 얼마 오지 못했다는 걸 깨닫는 시기이기 때문이다. 우리는 여전히 상처가 깊다는 것, 그리고 (꼭 연애에서만이 아니라 개인의 성장에서도) 아직 갈 길이 멀다는 것도 이 시기에 알게 된다. 정말로 교훈을 얻으려면, 우리의 내면과 동기를 진솔하게 들여다보려면 우리 마음을 산산이 부순 뒤 활짝 열어놓아야 한다.

카르마 사랑의 현실 단계에 이르면 우리는 서로에게 상처를 주고, 두려움을 드러내고, 과거의 패턴을 반복한다. 소울메이트 곁에 남아 있어야 했다고 후회할 가능성도 크다. 이런 후회가 드는 것은 소울메이트 사랑은 카르마 사랑처럼 강렬하지는 않지만, 적어도 영혼을 쥐어짜는 듯한 상처를 줄 만한 힘을 가지고 있지도 않기 때문이다. 우리는 더 이상 자신의 잘못을 돌아보지 않는다. 그저 우리 행동을 정당화할 변명거리를 찾기에 급급해질 뿐이다.

소울메이트를 떠난 이후 우리는 어느 정도 자기 인식의 여정을 걸어왔다. 그러나 이 단계에서는 더 이상 앞으로 나아가지 못하고 침체되어 있을 가능성이 크다. 이때 우리는 또 다시 연애를 잘 풀어 나가지 못하고 진정한 자기를 향해 발돋움하지 못하는 자신의 모습에 엄청난 죄책감을 느낀다. 그렇게 우리는 과거의 모습으로 퇴보해서 상대방을 비난하고, 다른 사람들을 방패 삼아 우리 앞에 놓인 상황을 회피하려고 한다. 이러한 과정을 거치는 동안 우리는 진정한 자기를 찾아 성장하지 못할 뿐만 아니라 서로에게 최악의 모습을 보이는 데도 익숙해진다. 이렇게 되는 건 상처와 애정 공세가 반복되는 중독적인 패턴에 갇혔기 때문이다. 이전에는 우리가 우리 자신을 바꾸려고 했다면 이제는 상대방을 달라지게 만들어야겠다고 마음 먹었다.

카르마 사랑은 우리를 시험에 들게 할 운명을 타고났다. 하릴없이 마음을 열게 해서 그토록 오랫동안 외면하려고 애써왔던 개떡 같은 상황을 정면으로 마주하도록 우리에게 아주 극심한 상처를 줄 운명을 타고났다. 이 사랑은 우리가 어떤 사람인지, 우리가 얼마나 많은 '노력'을 했는지 전혀 알아주지 않는다.

카르마 사랑의 애정 공세가 멈추고 현실이 보이기 시작하면, 우리의 방아쇠는 자동적으로 당겨진다. 그리고 방아쇠가 당겨지는 그 순간, 우리는 배신당했다고 느낀다. 최악의 상황이 펼쳐졌다고 느낀다. 그러나 기억하라. 이 사랑의 목적은 우리가 그동안 무시하려고 애써왔던 우리 자신의 모든 것을 제대로 들여다볼 수밖에 없도록, 그래서 우리가 성장할 수밖에 없도록 우리의 등을 떠미는 것이다.

우리는 절대 우리 자신을 벗어날 수 없다

이 단계에서 우리가 배워야 할 교훈은 연애에 뛰어든 뒤에는 결코 자기 수련을 피할 수 없다는 사실이다. 치유되지 않은 상처나 가치 없다고 느끼는 감정을 억지로 숨길 순 없다. 이를 해결하기로 마음먹기 전까지는 계속해서 우리의 방아쇠가 당겨질 것이기 때문이다. 또는 그 같은 상처와 감정을 피하는 일이 불가능해질 것이기 때문이다. 자기 수련은 결코 쉽지 않은 일이다. 끝이 정해져 있는 일도 아니다. 조금씩 나아질 것이고, 조금씩 치유되겠지만, 방아쇠는 계속 존재할 것이다. 결국 우리는 인간이다. 인생과 사랑의 현실에서 자유로운 사람은 없다.

건강한 연애를 한다는 건 고된 시기, 다툼, 당겨지는 방아쇠를 전혀 경험하지 않는다는 의미가 아니다. 문제가 생겼을 때 상대방을 비난하지 않고 잘 대처해 나간다는 의미다. "네가 나한테 무슨 짓을 했는지 보란 말이야!"와 "이러이러한 이유 때문에 지금 내 기분이 이런 거야"라는 말이 다른 것처럼. 정서적 성숙은 어떤 감정을 직접 경험하지 않고도 이를 인지하는 능력과 함께 발달한다. 세상에 완벽한 연애는 존재하지 않는다. 첫사랑이든 두 번째 사랑이든 아니면 트윈플레임이든 그건 중요하지 않다. 좋은 연애는 어떤 식으로든 우리를 성장하게 만들고, 다른 시각으로 세상을 바라보게 만든다. 또한 진정한 자기를 찾아가지 못하게끔, 원하던 모습의 연애를 못하게끔 방해하는 감정을 헤쳐 나가도록 만든다.

자기 수련을 피할 수 없다는 사실을 깨닫는다는 건 외부에 놓인 우리의 관점을 우리 내면으로 옮겨온다는 의미이기도 하다. 이는 상대방이 하는 일에 관심을 덜 두고, 우리가 느끼는 감정의 원인을 파악하는 데 더욱 집중한다는 뜻이다. 이런 과정을 이행하다 보면 더는 상황을 기분 나쁘게 해석하지 않게 된다. 상대방이 언짢은 하루를 보내고 있다거나 우울해하거나 심술이 나 있어도 더는 그게 우리 때문일 거라고 생각하지 않는다. 데이트 상대가 마음에 들어서 문자를 보냈는데 이삼 일 지난 뒤에야 답장이 오더라도 더 이상 '이 사람이 날 안 좋아하나 봐. 내가 도대체 왜 그런 말을 했지? 정말 멍청한 소리로 들렸을 거야'라고 생각하지 않는다.

모든 사람이 우리와 무관하게 저마다의 경험을 가지고 있으며 저마다 인생 스토리를 쓰고 있다는 사실을 이해하기 시작하면, 다른 사람들이 '우리 때문에' 하는 일은 존재하지 않는다는 것 또한 이해할 수 있게 된다. 그 과정에서 마침내 우리는 우리의 자아를 이해하게 되고, 자아의 고집이나 신념에 의해 행동하지 않는 법을 배우게 된다. 자아는 모든 걸 자기 중심적으로 생각하기 때문에 사람들이 우리의 전화에 답을 하든 아니면 잠수를 타든 그 원인이 모두 자신에게 있다고 받아들인다. 본질적으로 우리가 타인의 행동과 선택에 대한 통제권을 쥐고 있다고 생각하는 것이다. 자기 수련을 통해 성장하면서 우리는 우리에겐 우리의 이야기가, 상대방에겐 상대방의 이야기가 있다는 것을 이해하게 된다. 그렇게 상황을 기분 나쁘게 받아들이지 않는 방법을 배우면서 마침내 우리는 서로 사이좋게 지낼 수 있는 완전히 새로운 방식을 깨닫게 된다.

헤일리는 성인이 된 뒤 자기 인생의 대부분을 명백한 자아도취와 동반의존 사이클 속에서 보냈다고 인정했다. 그녀는 남편과 몇 년 전에 이혼했으며, 새 애인을 이해하지 못해 힘들어하고 있었다. 연애를 시작한 이후로도 그녀는 늘 방아쇠가 당겨져 있는 상태였다. 상대가 자신의 문자에 곧바로 답장을 보내지 않거나 계획 세우는 것을 미루는 등 카르마 사랑을 떠올리게 하는 일이 생길 때마다 그녀는 화가 치밀어 올랐다.

나는 헤일리에게 새 애인이 그녀의 방아쇠를 당긴다고 느끼는 건 긍정적인 현상이라고 얘기하면서, 그 이유를 상세히 설명해주었다. 왜냐하면 이는 헤일리가 상황을 제대로 바라보고, 반응을 달리 하면 충분히 문제를 해결할 수 있다는 의미이기 때문이다. 모든 남자가 그녀의 전남편과 같지 않다는 것, 그러므로 새로운 애인에게는 완전히 다르게 접근해야 한다는 걸 배울 수 있는 기회이기도 하다.

헤일리는 수동—공격적 성격을 버리고 자신의 감정을 표출하는 방법을 처음부터 배워 나갔다. 자신이 무엇을 필요로 할 때 상대방이 그걸 본능적으로 알아차리지 못한다는 이유로 분노하는 게 아니라 무엇이 필요한지 분명히 말하는 방법을 배워 나갔다. 그리고 무엇보다 상대방에게 그만의 삶이 있다는 사실을 배워 나갔다.

남자는 사업을 막 시작한 상태였고, 집안의 대소사도 처리해야 했다. 자기 친구들과 어울리고 싶을 때도 분명 있을 터였다. 헤일리는 애인의 그런 면 때문에 사소한 충돌이 빚어질 때마다 "나랑 헤어지려고 하는 게 틀림없어" 또는 "나를 별로 좋아하지 않는 게 분명해"라며 상황을 기분 나쁘게 받아들이는 대신 자기 내면의 대화를 다르게 하는 방법을 배워 나갔다.

카르마 사랑을 계기로 건강한 연애 방법을 배우는 것 또한 자기 수련 과정이다. 이 과정에서 우리는 우리에게 내재되어 있는 방아쇠가 무엇인지, 방아쇠가 당겨졌을 때 우리가 어떻게 반응하는지 더욱 잘 알게 된다. 건강한 방법으로 연애 관계에 접근하는 수준에 도달하려면 먼저 연인의 행동에 우리가 왜 이런 감정을 느끼는 것인지 명확하게 알아야 한다. 이는 연애 관계에서 어떤 문제가 생기든 간에 그 원인이 과거 또는 현재의 파트너에게만 있는 게 아니라 우리 자신에게도 있다는 사실을 인정할 수 있어야 한다는 의미다.

이 단계에 이르면 우리는 '잃어버리고 나서야 소중함을 알게 된다' 또는 '좋은 여자 놓친 걸 평생 후회하게 될 것이다' 같은 내용의 밈을 친구들과 주고받으며 연애 상대를 다 똑같이 하찮은 존재로 깔아뭉개고 헐뜯기 시작한다. 이런 감정이 드는 건 어찌 보면 당연한 일이지만, 그렇다고 해서 이게 자기 수련을 대신해주지는 않는다. 이제는 중독적인 사랑이라고 느껴질지 모를 이 관계 속에 어떤 행동과 감정이 녹아 있는지 열린 마음으로 들여다봐야 할 때다.

중독적인 사랑에 빠지는 데는 양쪽 모두에게 책임이 있다

카르마 사랑을 할 때 우리는 자신의 잘못은 돌아보지 않은 채 상대방에게만 온갖 부정적인 면을 투영하며 그를 나쁜 놈, 개자식, 또는 사랑할 자격조차 없는 놈이라고 깔아뭉갠다. 우리가 아무리 정직했고 사랑스러웠고 충실하고 '잘못된 일'을 전혀 하지 않았더라도, 결국 그 사람을 선택하고 그의 행동을 허용한 건 우리 자신이다. 바람을 피우거나 거짓말을 한 게 우리인가? 아니다. 그러나 그렇다고 해서 이러한 유형의 연애를 선택한 것에 대한 책임으로부터 자유로울 순 없다.

연애할 때는 그 당시 우리가 어떤 위치에 서 있는지 그대로 드러난다. 중독성 있는 관계는 아직 치유되지 않은 우리 자신의 일부를 투영한다. 인정하고 싶지 않더라도 그 착한 여자애가 그런 나쁜 놈과 데이트하는 데는 반드시 이유가 있게 마련이다. 더 이상 중독성 있는 연애에 끌리지 않으려면 먼저 자기 자신을 돌아봐야 한다. 중독적인 사랑은 그 관계가 우리의 정신, 육체, 영혼에 얼마나 유해한지에 의해 결정된다. 그리고 우리는 그 뿌리에 다다르도록 더 깊숙이 파고 들어가 어떤 행동들이 나쁜 영향을 미치는지 구체적으로 집어낼 수 있어야 한다.

상담하면서 나는 사람마다 건강한 연애의 의미를 다르게 정의한다는 사실을 알게 됐다. 고객과 상담할 때마다 다들 건강한 연애를 하고 싶다고 말한다. 그러면 나는 그들에게 건강한 연애가 어떤 것인지 그 의미를 일기장에 꾸준히 적어보라고 권한다. 일기 쓰는 방식이 비슷할 순 있어도 그 안에 담긴 세부적인 내용은 모두 다르다. 그리고 그 세부적인 내용 안에는 우리의 핵심 욕구가 무엇인지 깊이 이해하게 해주는 열쇠가 들어 있다.

핵심 욕구의 존재를 처음 알게 되는 건 소울메이트와의 사랑을 통해서이지만, 두 번째 유형의 사랑을 거쳐야 핵심 욕구가 정말로 무엇인지 깨닫게 되고, 나아가 이를 추구할 수 있게 된다. 방금 언급했듯이, 우리의 핵심 욕구는 소울메이트와의 사랑 속에서 처음 존재를 드러낸다. 이때 우리는 체크리스트 항목을 충족시키고 다른 사람들을 만족시키는 연애를 한다고 해서 우리의 욕구가 진정 채워지는 것은 아님을 이해하기 시작한다. 그럼에도 우리가 사랑에 빠지는 동기가 무엇인지 제대로 이해하려는 노력 없이 그저 이번에는 다를 거라고 생각하면서 카르마 사랑에 뛰어든다. 스스로 반성할 시간을 갖는 것보다 상대가 우리를 바꿔줄 거라고 생각하는 게 언제나 더 수월하기 때문이다.

탄탄한 연애의 기초를 다지는 5가지 기본 요소

샘에게 건강한 연애란 어떤 의미냐고 처음 물어봤을 때, 그녀는 둘이서 함께 보내는 시간이 있어야 하고, 서로 정직해야 한다고 대답했다. 이는 쉽게 말해 어떤 남자와 사귀든 간에 자기 모르게 다른 여자에게 연락해서는 안 된다는 의미였다. 니나는 대화를 많이 하는 것, 그리고 자신이 느낄 수 있을 만큼 상대방이 관계를 위해 노력하는 것이 중요하다고 말했다. 물론 둘 다 당연한 감정이지만, 이는 건강한 연애의 정의라기보다는 그들 각자의 핵심 욕구를 반영한 답변이라고 할 수 있다.

양쪽 모두에게 도움이 되는 건강한 연애를 하기 위해서는 몇 가지 요소가 필요하다. 고객과 상담할 때 나는 관계 형성을 집 짓기에 비유해서 설명하곤 한다. 다 지어놓은 집에 페인트 칠을 하거나 실내를 꾸미는 일은 모두가 하고 싶어 하지만, 집을 짓는데 가장 중요한 그 집의 기초 공사를 하고 싶어 하는 사람은 없다. 우리가 사랑해 마지않는 그 집을 지탱하는 역할을 하는 공정이 바로 기초 공사인 것처럼, 연애도 기초 공사가 중요하다. 집의 기초가 조악하고 갈라지거나 수평이 맞지 않으면, 그 집은 결국 무너지고 말 것이다. 그리고 이는 어떤 연애를 하더라도 마찬가지다.

그래서 고안한 게 5대 기본 요소라는 개념이다. 다시 한번 집 짓기에 비유하자면, 이는 탄탄한 기초를 다지기 위해서 필요한 5가지 도구라고 할 수 있다. 나는 고객들에게 이 5가지 도구를 연애 초반 서로를 알아가는 단계에서 실행해보라고 제안한다. 5대 기본 요소는 커뮤니케이션, 정직, 책임, 존중, 그리고 용서다. 이제 막 서로를 알아가기 시작한 단계일 때 우리는 상대방이 과연 친구로라도 내 인생에 둘 만한 사람인지 생각해볼 여유도 갖지 않고 여자로서 우리가 가진 모든 걸 내주고 만다. 그러고는 '아, 그가 나를 좋아하려나?' 또는 '나하고 다시 데이트하고 싶어 할까?' 같은 생각에 푹 빠져버린다. 그러기 전에 잠시 마음을 가다듬고 5대 기본 요소를 실행해보자.

커뮤니케이션, 관계를 진전시키는 원동력

5대 기본 요소의 첫 번째는 커뮤니케이션이다. 이는 그저 온종일 연락을 주고받는다거나 집에 늦게 들어가게 되면 미리 문자를 보낸다는 의미가 아니다. 커뮤니케이션은 모든 연애에서 관계를 진전시키는 원동력이다. 많은 남자가 '커뮤니케이션'이라는 말을 듣기를 꺼리는데, 이는 커뮤니케이션을 하루도 빠짐없이 연인의 감정에 대해 대화를 나눠야 하는 일로 생각하기 때문이다. 그러나 사실 커뮤니케이션 모든 인간 관계에 엄청난 영향을 주는 삶의 방식이라고 할 수 있다.

커뮤니케이션은 서로 확실히 이해될 때까지 이야기를 나누겠다고 약속한다는 의미다. 윽박질러 상대방의 말문을 막지 않도록 최선을 다해 노력하겠다는 의미이고, 감정을 자극하는 방아쇠에 대해서 또는 그때그때 발생하는 여러 상황에 대해서 터놓고 얘기하겠다는 의미다. 또 관계 속에서 우리가 어디쯤 와 있는지, 서로의 핵심 욕구가 충족되고 있는지, 아니면 그저 두려움에 떨고 있는 건 아닌지 열린 마음으로 얘기하겠다는 의미다. 점심 메뉴만이 아니라 우리의 꿈에 대해 대화를 나누겠다는 의미다. 커뮤니케이션을 최우선으로 하겠다고 다짐한다는 건 문제가 생기면 자리를 떠나는 게 아니라 아무리 힘들더라도 끝까지 남아서 대화로 풀어 나가겠다는 의미다.

내 경우, 연애할 때도 나만의 공간이 필요하다. 그러나 껴안고 스킨십 하는 시간 또한 많이 필요하다! 나는 애인이 내게 계속 문자를 보내거나 전화를 해댄다는 이유로 그들에게 화를 내기보다는 분명하게 내 의견을 전한다. "내가 진정한 자기를 찾기 위해선 조용히 하루를 돌아볼 시간이 필요해." 이렇게 분명히 이야기해두면 내가 홀로 시간을 갖더라도 상대방은 그 의미를 이미 알고 있기 때문에 당황하지 않는다.

스킨십도 마찬가지다. 나는 사랑하는 남자가 내 몸에 팔을 두르지 않는다는 이유로 소파 반대쪽에 걸터앉아 그를 쏘아보지 않는다. 대신 그에게 다가가 끌어안거나 내 몸을 감싸 안아달라고 요청한다. 내가 그와 연결되어 있다고 느끼려면 스킨십이 있어야 한다는 사실을 그에게 알려주는 것이다. 이런 식으로 하면 커뮤니케이션 중에서도 가장 중요한 선제적 커뮤니케이션이 가능해진다.

모든 사람이 한두 번쯤은 이런 문제를 겪는다. 선제적 커뮤니케이션은 가장 중요한 형태의 커뮤니케이션이지만, 이를 치유의 측면에서 바라보지 않는다면 자유나 신뢰의 부족으로 받아들일 수도 있다. 그러나 연인들이 이런 유형의 커뮤니케이션을 제대로 실천한다면, 둘 사이에 생기는 오해나 다툼이 극적으로 줄어 행복하고 사랑 가득한 시간을 더 많이 보낼 수 있게 될 것이다.

연애에서 선제적 커뮤니케이션이란 문제가 커져서 터지기 전에 미리 대화하는 것을 의미한다. 이를테면 "전에 만났던 여자친구한테서 어제 문자가 왔어" 또는 "너무 서두르는 것 같아. 동거하기 전에 조금 더 시간을 갖고 생각해봐야겠어"처럼 말하는 것이다. 쉽게 말해, 되돌릴 수 없는 문제가 되기 전에 미리 터놓고 얘기하는 것이다. 이런 유형의 커뮤니케이션을 제대로 실천하려면 반드시 정직해야 하고, 편견을 버려야 하고, 예단하지 않아야 하고, 상대방의 반응을 앞서 추측하지 않아야 한다. 아무것도 아닌 말처럼 들릴 수도 있지만, 정말로 우리가 상대방에게 심리적 방아쇠가 당겨진 것 같다고, 또는 두렵다고, 또는 다음 주말에 있을 동창회에 헤어진 남자친구가 나올 거라고 미리 얘기한다면, 대부분의 싸움을 피할 수 있을 것이다. 그러나 이렇게 하려면 반드시 정직해야 한다. 우리 자신에게 정직해야 하고, 우리와 사귀고 있는 그 사람에게도 정직해야 한다. 정직은 5대 기본 요소의 두 번째 요소이기도 하다.

커뮤니케이션은 전 연인에 관한 이야기를 하기 위해서만 필요한 게 아니라 우리의 욕구를 충족시키기 위해서도 필요하다. 내가 혼자만의 시간과 스킨십이 필요하다고 말하는 것처럼 우리 모두는 우리 자신에게 필요한 게 무엇인지 명확하게 말할 수 있어야 한다. 그래야 투명하고 이해심 있는 관계를 구축할 수 있다. 둘 중 누구도 상대방이 내 마음을 알아서 읽어주기를 기대해서는 안 된다. 그럴 필요도 없다. 실제로 대화를 나누면 되기 때문이다.

정직, 기만과 부정 없이 오직 진실만

정직이라고 하면 단지 거짓말하지 않는 것으로 생각하기 쉽다. 그러나 정직은 거짓말하지 않는 것보다 훨씬 더 다양한 의미를 갖는다. 정직은 기만과 부정 없이 진실한 상태를 의미한다.

연인, 친구, 가족과의 관계에서 우리는 정직이라는 단어를 주고받는 것이라는 관점에서만 바라보려고 한다. 정작 우리가 어떤 사람인지, 살면서 그리고 사랑하면서 무엇을 얻고 싶어 하는지 같은 문제에서는 스스로에게 정직하지 못한 경우가 많다. 자기 자신에게 정직하려면 참 자기를 찾아야 한다. 타인이 우리에게 바라는 역할에 우리 자신을 끼워 넣어서는 안 된다. 자신에게 정직해야 상처나 결점을 포함한 우리의 모든 면을 온전히 소유할 수 있다. 우리가 무엇을 원하는지, 무슨 생각을 하는지 무시하지 않아야 하고, 핑계 대지 않아야 한다. 그래야만 다른 사람에게도 비슷한 수준의 정직함을 전달할 수 있다.

레나는 늘 내적 갈등에 시달렸다. 레나가 연애에서 얻고 싶어 하는 것과 사회에서 요구하는 것이 서로 달랐기 때문이다. 그녀는 사랑에 열려 있었고, 상대방에게 헌신할 준비도 되어 있었지만, 자신에게 편안한 방식으로 사랑하고 싶어 했다. 지난 경험을 통해 레나는 자신이 누군가와 24시간 붙어 있는 걸 바라지 않는다는 걸 깨달았다. 가끔 애인이 집에 와서 자고 가는 정도가 좋았다. 그러나 레나는 일주일에 최소한 며칠은 독서하고 명상하고 또는 아무것도 하지 않으면서 혼자 보낼 시간이 꼭 필요했다. 이런 방식은 우리가 전통적으로 지켜온 규범이 아니기 때문에 세계 곳곳에 존재하는 레나 같은 사람들은 그들이 마땅히 따라야 할 옳은 길에서 벗어났다고 느끼게 된다. 그러나 어쩌겠는가. 이게 그녀의 진심인 것을.

레나는 상담하는 동안에는 편안하게 자신의 욕구와 필요를 표현했지만, 상대에게 혼자만의 시간이 필요하다는 걸 설명하는 게 어려워 연애를 시작하지 못하고 망설이고 있었다. 그러다 클린트라는 남자를 만났다. 그는 출장이 잦은 뮤지션이었다. 그러자 그녀의 속마음을 이야기해야 한다는 큰 문제는 순식간에 아무것도 아닌 일이 되어버렸다. 레나가 자신의 속마음을 편안하게 드러내자 세상이 그녀의 주파수에 응답해주었고, 더 나아가 그녀의 핵심 욕구를 충족시켜줄 수 있는 사람인 클린트와 연결됐다.

자신에게 정직해야 속에 있는 진실을 꺼내놓을 수 있다. 인생의 목적이나 연애의 목적처럼 거창한 일에 관한 것뿐만 아니라 여행지를 정말로 어떻게 생각하는지도 솔직하게 얘기할 수 있게 된다. 그렇지 않고 진실을 우리 속에 꽁꽁 싸매기 시작하면 관계가 변질된다. 그리고 그때부터 커뮤니케이션이 무너지면서 둘 사이에 갈등이 생겨난다. 자신의 속마음을 알지 못하면 타인에게 표현할 수도 없다. 이는 곧 우리가 진정한 삶 또는 진정한 관계 속에서 살지 못할 가능성이 커진다는 의미다.

책임감, 자신의 꿈과 욕구에 충실하라

연애 관계에서 책임감을 갖는다는 건 상대방에게 충실할 것을 걱정하기에 앞서 우리 자신, 꿈, 욕구에 충실해지는 방법을 익힌다는 의미다. 책임감이 있어야 정직할 수도 있다. 책임감을 가져야 스스로 지켜야 할 도덕과 선에 대한 인식이 생긴다. 이것은 우리 스스로 해내야만 하는 일이다. 내면에서 우러나와야 할 수 있는 일이다. 그 누구도, 제아무리 대단한 사랑이 찾아오더라도 우리를 위해 이 일을 대신 해줄 순 없다. 그 누구도 우리가 이전보다 더 나은 사람이 되라고 강요할 순 없다.

우리가 스스로에게 책임질 때 출근 또는 공과금 납부 같은 일에 대한 책임감뿐만 아니라 비로소 우리의 영혼, 심장, 우리 내면의 본질에 대해서도 책임감을 갖게 된다. 스스로를 책임진다는 것은 다른 사람이 만족하지 않는다는 이유로 우리가 선택한 연인을 버리지 않겠다는 의미다. 단지 보수가 좋다고 해서 우리 생명을 꺼뜨리는 직장에 계속 다니지 않겠다는 의미다. 다른 사람의 감정을 지켜주기 위해 우리의 진실을 무조건적으로 희생하지 않겠다는(즉, 거짓말하지 않겠다는) 의미다. 건강한 연애를 하면 자기 희생을 할 일이 없다. 그러나 자기 자신과 상대방에게 책임감이 없으면 연애 중에 다가오는 최악의 시기를 견뎌낼 수 있는 단단한 기반을 구축할 도리가 없다.

몇 년 전, 테일러가 자신의 연애를 어떻게 해야 할지 모르겠다며 내게 연락을 해왔다. 그녀는 자신이 어떤 사람인지 잘 알고 있는 것 같았다. 최소한 이를 알기 위해 노력하는 사람이었다. 그녀의 애인인 카일과 바람직한 커뮤니케이션을 나누고 있었으며, 서로 많이 사랑하고 있었다. 그러나 그녀는 이 연애를 어디까지 끌고 가야 할지 확신하지 못했다. 카일이 좋은 사람인 것 같지만 적합한 남편감으로는 보이지 않는다고 했다. 가족과 친구들 모두 둘의 관계를 응원해주지 않았기 때문이다. 카일은 테일러와 인종이 달랐고, 사회경제적 배경이 달랐다. 이런 차이는 타일러에게 아무런 문제가 되지 않았지만, 이 상황이 주는 스트레스는 분명 그녀를 지치게 만들었다. 상담하면서 우리는 책임감에 대해, 그리고 책임감이 어떻게 자주성을 강화해주는지에 대해 대화를 나눴다.

자주성은 자기 자신에게 가장 이익이 되는 방향을 선택하고 결정하는 능력이고, 우리가 한 선택에 확신을 갖는 능력이며, 타인의 영향을 받거나 강요에 휘둘리지 않는 능력이다. 우리가 자주성을 추구한다는 것은 정신적, 정서적 성숙함을 얻기 위해 언젠가는 부모(또는 부모 같은 존재)에게 저항해야 한다는 것을 의미한다.

연애 관계에서의 자주성은 이보다 약간 더 복잡하다. 우리는 가족을 사랑하고 연인을 사랑한다. 이렇게 단순해야 한다. 그러나 테일러는 자신의 연애에 스스로 떳떳해야 가족들에게 대단한 인정까지는 아니더라도 최소한 존중받을 수 있다는 사실을 이제야 겨우 이해하기 시작했다. 엄마도, 언니도, 세상 그 누구도 우리 인생을 대신 살아주지 않는다. 그러므로 누구를 사랑할 것인지, 어떤 일을 할 것인지, 아이를 낳을지 말지 같은 중요한 결정을 할 때 우리는 반드시 책임감을 발휘해야 한다.

존중, 상대를 연인 이전에 독립된 인격체로 보라

존중이라는 단어의 의미를 충분히 생각해보지 않은 채 존중이 중요하다고 말하는 사람들이 많다. 사랑의 다른 요소와 마찬가지로 존중 또한 우리 자신으로부터 시작되어야 한다. 존중은 다른 누군가를 존경하는 마음이고, 그들에게 긍정적인 감정을 갖는 것이다. 존중이라는 감정이 있어야 다른 사람들을 충성, 인내, 정직, 이해로 대할 수 있다. 이는 우리 자신을 존중할 수 있어야 우리의 생각, 감정, 행동까지 존중할 수 있다는 의미이기도 하다. 우리가 우리 자신을 온전히 존중하게 되면, 스스로를 바라보는 시각도 달라진다. 더 이상 어떠한 선택이나 예견된 실패 때문에 자책하지 않는다. 스스로 최선을 다했다는 걸 알면, 하루쯤 일진 사나운 날을 보냈다고 해서 우리가 형편없는 사람이라는 의미는 아니라는 것을 이해한다.

연애 관계에서 우리는 자기 자신에게 갖는 존중을 상대방에게 확장해 나간다. 존중이 기반이 되어야 우리가 원하는 대로 인생을 살아갈 자유 혹은 능력을 희생한다는 느낌 없이 각자의 감정과 행동에 책임지고 정직하게 의사소통해 나갈 수 있다. 이는 우리가 상대방을 애인으로 바라보기 이전에 우리가 존경하는 사람으로 바라보면서 그들과 인생을 함께한다는 데 감사와 사랑, 자신감을 느낀다는 의미다.

우리가 상대방에게 정직하고, 책임감 있게 행동하고, 존중한다면, 명절에 상대방의 부모님을 만나야 할지 확신이 서지 않는다고 솔직하게 얘기하는 일이 어렵게 느껴지지 않을 것이다. 상대방에게 지난주에 헤어진 애인에게 문자가 왔다고 얘기했다가 공연히 싸움으로 번질까 봐 걱정할 필요가 없다는 의미다. 한마디로, 언제 터질지 모를 시한폭탄과 함께 사는 것이 아니라 우리가 사랑하고 존경하는 사람, 그리고 우리를 사랑하고 존중하는 사람과 함께 살아야 한다는 의미다. 상대방을 존중한다는 건 먼저 그를 하나의 인격체로 바라보고, 그 이후에 자신의 연인으로 바라본다는 의미다.

용서는 어느 순간에도 가능하며, 반드시 필요하다

용서forgiveness라는 단어를 보라. "for"+"give". 이는 타인에게뿐만 아니라 우리 자신에게 무엇인가를 베푼다는 의미다. 그러므로 용서는 결코 얻을 수 있는 성질의 것이 아니고, 입증할 수 있는 것도 아니며, 마땅히 받아야 하는 성질의 것도 아니다. 이는 말 그대로 주어지는 것일 뿐이다.

우리는 인간이기 때문에 문제를 일으킨다. 항상 최선을 다하지 못하고, 하지 말아야 한다는 걸 알면서도 할 때가 있으며, 어떨 때는 자신을 의심해서 실수하고 일을 망쳐버리기도 한다. 위대한 사랑을 하고 있더라도 때로는 조건 없는 용서만이 우리 자신을 회복시키고 관계를 회복시킨다. 이는 단순히 "미안해" 또는 "용서할게" 같은 말을 하는 게 아니라 노력하겠다는 마음, 최선을 다하겠다는 마음, 사과한다는 마음, 잘못을 고치겠다는 마음, 그리고 완벽하지는 않을지라도 어제보다 나은 모습이 되겠다는 마음을 보여주는 것이다.

용서를 실행으로 옮길 마음이 있어야 다른 모든 것도 실행할 수 있게 된다. 용서를 실천한다는 건 우리가 해야 할 일이 무엇인지 안다는 것을 의미하며, 우리가 여전히 배우고 있고, 치유하고 있고, 우리가 어떤 사람인지 알기 위해 노력하고 있음을 안다는 것을 의미한다. 용서를 실천한다는 건 포기하지 않는다는 의미다. 쉬운 길로 비켜가지 않겠다는 의미다. 사랑에 푹 빠져서 SNS에 애인을 자랑하는 사진을 게시하든, 눈물을 떨구며 울부짖든 간에 우리에게 주어진 상황에 그대로 뛰어들겠다는 의미다.

완벽한 사람은 없다. 우리 모두에게는 진정한 자기를 찾기 이전의 시기가 있었다. 자신에게 상처를 주었든 고통을 회피하려고 했든 간에 모두 한 번쯤은 최악의 시기를 겪어봤을 것이다. 당신이 겪은 최악의 순간이 언제였는지 떠올려보라. 단짝 친구 말고는 모르는, 아니면 아무도 모르는 비밀, 그러니까 무덤까지 가져갈 비밀 같은 것 말이다. 평생 아무도 모르길 바라는 그런 순간, 최악의 순간을 떠올렸다면 이제 그때를 기준으로 당신이 남들에게 판단받는다고 생각해보라.

우리가 누군가를 진정 용서하지 않으면 이런 일이 생긴다. 상대방이 겪었던 최악의 순간을 놓지 못하는 것이다. 그 순간이 너무 끔찍해서, 그 순간이 주는 상처가 너무 커서, 또는 그들이 고통받기를 원하는 마음에 사로잡혀서 우리는 용서를 미룬다. 그러나 우리가 최악의 순간 때문에 비난받고 싶지 않다면, 우리도 최악의 순간을 빌미로 타인을 비난해서는 안 된다. 용서만이 관계의 기반을 탄탄히 쌓아가는 유일한 방법으로 상대방을 용서해야 한다. 어쩌면 인연을 완전히 끊고 싶어질 만한 배신을 겪었을 수도 있지만, 그러한 순간에도 용서는 가능하며, 그뿐만 아니라 반드시 필요하다.

니베아는 자신이 끊임없이 용서를 실천하며 살고 있다고 생각했다. 그녀는 누구보다 영적이었다. 그녀는 늘 다른 사람들을 도우려고 노력하면서 최선을 다해 자신의 인생을 살고 있었다. 니베아와 그녀의 연인 마커스는 길을 걷다가도 노숙자가 있으면 발길을 멈추고 따뜻한 말을 건넸다. 두 사람은 사람들의 인생에 빛을 가져다줄 방법을 찾는 등 할 수 있는 한 많은 사랑을 세상에 퍼뜨리기 위해 노력했다. 두 사람은 함께 있을 때 세상이 조금 더 나은 곳이 된다고 느꼈다. 그랬기 때문에 마커스가 느닷없이 잠수를 타고 다른 여자를 따라다닌다는 걸 알았을 때 니베아는 어찌할 바를 몰랐다. 화가 났고, 상처를 받았다. 영혼을 공유한다고 믿었던 사람이 어떻게 이런 식으로 배신할 수 있는지, 이토록 큰 상처를 줄 수 있는지 혼란스러웠다.

내가 처음에 니베아에게 해준 얘기는 분노가 인간의 일차적 정서가 아니라는 것이었다. 분노는 상처, 실망, 우리가 바라는 대로 일이 풀리지 않을 때 느끼는 좌절, 또는 두려움 같은 다른 감정의 부산물일 뿐이다. 우리는 니베아가 무엇 때문에 분노를 느끼는지 분석해보기로 했다. 니베아는 마커스에게 버림받았다고, 배신당했다고 느끼고 있었다. 감정의 원인을 쪼개어보면 더욱 수월하게 감정을 다룰 수 있다. 우리는 버림받고 배신당했다는 감정이 어디에서 비롯되었는지, 그리고 지금의 고통을 어떻게 활용해야 그녀가 미처 인식하지 못한 상처를 치유하는 데 도움이 될지 대화를 나누었다.

물론 니베아에게 상처를 준 마커스의 행동도 들여다보았다. 상처받은 사람들이 또 다른 사람들에게 상처를 준다는 말을 기억하는가? 니베아는 마커스가 여전히 치유하지 못한 상처로 아파하고 있었던 탓에 자신에게 상처를 주었다는 사실을 이해하기 시작했다. 물론 그 사실이 모든 상황을 해결해주진 않았지만, 어쨌든 이 사실을 이해한 덕분에 니베아는 마커스를 용서할 수 있었다. 어쩌면 이 일은 두 사람에게 필요한 일이었는지도 모른다. 궁극적으로 두 사람은 더 큰 치유를 경험할 수 있었기 때문이다. 두 사람은 여전히 연인 사이를 유지하면서 서로 노력하며 지내고 있다. 그리고 여전히 서로 무척이나 사랑한다. 니베아가 그를 용서하지 않았더라면 이런 일은 절대 가능하지 않았을 것이다.

바닥을 치기 전엔 그 무엇도 시작되지 않는다

사랑의 의미는 매우 다양하다. 그러나 결정적인 요인을 하나만 꼽으라면 그건 결코 포기하지 않는 것이다. 이 때문에 카르마 사랑이 우리의 마음을 아프게 하는 것이다. 우리는 이 사랑이 지속되기를 바란다. 그리고 과거의 다른 누구에게보다 이 사람에게 더 많은 것을 주었다고 느낀다. 과거의 누구보다 이 사람과 더 깊이 사랑했고 더 많은 것을 함께했다. 이 관계가 우리를 속속들이 쥐고 흔들어댄 탓에 우리는 진정한 자기까지 희생했다. 그렇게까지 했는데도 우리의 마음은 무너지고 있다. 진정한 모습조차 잃고 말았다. 게다가 갑자기 이 사람은 며칠째 답장도 없이 우리를 무시한다. 우리는 지금 그의 관심을 끌고 있는 여자가 누군지 알아내려고 소셜미디어를 뒤져대는 지경에까지 이른다.

우리가 알아야 할 것은 카르마 사랑의 현실 단계가 우리에게 뼈아픈 질문을 던진다는 사실이다. 우리가 세운 기준을 책임감 있게 지키고 있는가? 자신에게 솔직한가? 자신을 존중하는가? 대부분의 경우, 그렇지 않기 때문에 카르마 사랑의 단계에서 곤란한 상황에 빠지는 것이다.

그러나 이 모든 일이 일어나는 데는 중요한 이유가 있다. 바닥을 치기 전까지는, 무슨 일을 하든 더 이상 효과가 없다는 것을 깨닫기 전까지는 이 상황을 개선할 수 없다. 솔직히 우리는 자기 모습에 넌더리가 나기 전까지는 어떻게든 자기 수련을 피하려고 애쓸 것이다. 자기 수련은 욕지기가 솟을 만큼 영혼이 뒤틀리는 과정을 거쳐야 하기 때문이다.

2010년에 개봉한 영화 〈러브 & 드럭스Love and Other Drugs〉의 주인공, 제이크 질렌할과 앤 해서웨이를 생각해보라. 제이크가 맡은 역할인 제이미는 그저 연애 상대를 찾아 인생을 즐기는, 아주 행복한 바람둥이다. 그는 자기 수련이나 친밀감과는 거리가 멀 뿐더러 어떤 순간에 어떤 감정을 느껴야 하는지조차 생각하지 않는 사람이다. 한편, 앤이 맡은 역할인 메기는 파킨슨병에 걸린 뒤 사람들과 가까이 지내지 않으려고 일부러 온종일 일에만 매달린다.

두 사람 모두 자신에게조차 정직이나 존중, 책임감 없는 일상을 살았다. 그들에게는 이런 삶이 편했다. 그랬기 때문에 둘이 만나 사귄 초반에는 가벼운 섹스를 즐기며 그저 즐거운 시간을 보낼 수 있었다. 두 사람 다 진실한 사랑에 빠질 생각은 추호도 없었고, 서로만 바라보겠다는 끔찍한 약속에 휘말리고 싶은 마음도 전혀 없었기 때문이다. 그래서 서로에게 빠져버렸다는 사실을 깨달았을 때 이들은 하릴없이 자기 파괴적인 선택에 의지한다. 이들은 이별하고 다른 사람을 만나보기도 하지만, 마음속 깊은 곳에서는 서로를 향한 그리움이 짙어만 갈 뿐이다. 이때부터 힘든 시기가 펼쳐진다. 두 사람 모두 그동안 몰랐던 자신의 욕망과 욕구를 인식하기 시작한 것이다. 둘은 이 과정을 완전히 거치고 난 뒤에야 서로의 곁에 머물 수 있게 된다.

카르마 사랑은 우리가 마음을 활짝 열어 세 번째 사랑을 받아들일 수 있도록 우리의 마음을 산산조각낸다. 카르마 사랑을 할 때는 우리가 상대방을 위해 더 나은 사람이 되고 싶고, 더 믿음직한 사람이 되고 싶고, 정직한 사람이 되고 싶고, 아니면 그저 내 약한 모습을 숨기고 싶지 않더라도 그럴 수 없다. 이 시기에는 우리 스스로에게 이런 사람이 되는 것조차 배우지 못했기 때문이다.

자신을 위해 할 수 있는 일이어야 다른 사람을 위해서도 할 수 있다. 여전히 자신을 받아들이거나 존중하지 못한다면 타인을 진심으로 수용하거나 존중하는 것은 불가능하다. 우리는 우리 자신을 사랑하는 것과 동일한 방식으로 다른 사람을 사랑하기 때문이다.

카르마 사랑은 상처와 고통을 자극한다

카르마 사랑에 빠졌을 때 우리는 애정 공세 때문에 정신을 차리지 못한다. 그렇지 않았더라면 카르마 사랑의 교훈을 얻기 위해 여기까지 올 수 없었을 것이다. 초반에는 애정 공세에 온 마음을 빼앗겨 다른 것들을 보지 못한다. 굳이 힘든 일을 생각할 필요도 없다. 마음속의 불안을 투사할 사람이 있기 때문에 더 나은 사람이 된 듯한 기분이 들기도 한다. 그러나 결국 언젠가는 애정 공세와 고통 사이를 오가는 롤러코스터에서 그만 내리고 싶어진다. 이때가 바로 카르마 사랑이 우리의 정서적 상처에 붙어 있는 반창고를 확 떼어내고 그 어떤 설명도 경고도 없이 상처에 소금을 뿌리는 시점이다. 카르마 사랑은 가만히 앉아 상처를 가리키며 이렇게 말할 것이다. "너 지금 피 나는 거 알고 있지?"

그제야 우리는 그동안 가장 중요한 사람이라고 생각했던 이가 우리의 상처를 덮어주지 않으리라는 현실을, 우리를 도와주기 위해 아무런 노력도 하지 않으리란 현실을 깨닫는다. 물론 다른 누구도 아닌 우리가 직접 해야 할 일이지만, 그래도 화가 치민다. 왜? 고생은 나 말고 다른 사람이 하면 좋겠으니까! 다 괜찮다는 환상으로 덮여 있던 반창고를 무참히 뜯어낸 당사자가 우리를 위로하거나 쓰라린 상처를 치유하는 데 어떤 도움도 주지 않는다는 사실에 혼란스럽고, 씁쓸하고, 원망스럽기까지 하다.

이것이 바로 우리가 얻어야 할 깨달음이며 카르마 사랑의 목적이다. 사실, 이 연애에서는 두 사람 모두 피를 흘리면서 상처에 소금을 뿌리는 경우가 태반이다. 이 시기에 상대방은 이런 말을 할 것이다. "아, 전 애인이 널 두고 바람피워서 네가 지금 불안한 거라고? 그래, 알았어. 나 앞으로 이 여자가 인스타그램에 올리는 사진마다 다 '좋아요' 누를 거야." 또는 "어렸을 때 아빠한테 버림받았다 이거지? 좋아. 그러면 나도 앞으로 계속해서 널 바람맞히고 무시하겠어." 이런 말을 들으면 속이 뒤틀린다. 분명 하늘이 맺어준 인연이라고 느꼈던 사랑이 어떻게 이렇게까지 많은 피를 흘리게 할 수 있는지 이해되지 않아 미쳐버릴 것만 같다.

안타까운 사실은 이런 관계가 한 번, 두 번, 여러 번 반복될 수 있다는 것이다. 우리는 살아가면서 세 번 위대하고 의미 있고 가슴 절절한 사랑을 하게 되는데, 이런 사랑은 우리가 만날 연인의 세 가지 원형archetype이 되기도 한다. 첫 번째 경험에서 모든 교훈을 다 얻지 못하기 때문에 카르마 사랑을 여러 번 경험할 수도 있는데, 이는 우리를 위한 위대하고 유일한 사랑이 존재하지 않아서가 아니라 우리의 행동이 변하기 전까지는 그저 반복되는 데자뷔에 불과하기 때문이다. 우리에게 필요한 교훈을 모두 얻을 때까지 카르마 사랑이 반복되는 건 흔한 일이다.

로리는 안정적인 직장 없이 부모님 댁에 얹혀 사는, 한마디로 사랑할 준비가 전혀 되어 있지 않은 남자들하고만 연애를 했다.

물론 상대의 이름과 특징은 매번 바뀌었다. 로리는 자신이 자기 파괴적이지만 편안한 연애 관계에 갇혀 있다는 사실을 인식하지 못한 채 세 번이나 같은 패턴을 반복했다. 이런 연애 관계에서는 무슨 문제가 불거지든 상대방을 탓할 수 있었기에 로리는 자기 행동에 전혀 책임질 필요가 없었다. 자신의 연애 패턴을 인식하자 로리는 자신이 동반의존적 성향과 친밀한 관계에 대한 두려움 때문에 특히 그런 부류의 남자들과 엮이고 있다는 사실을 깨달았다. 또한 자신이 남자들에게 금전적으로 도움을 주고 인정받는 데 중독되어 있었다는 것도 알게 되었다. 이렇게 연애 관계를 되풀이하면서도 로리는 감정의 애착을 느껴본 적이 없었다. 로리의 연애 상대 중에는 그만큼 깊이 있는 감정을 느낄 만한 사람이 없었기 때문이다. 로리는 마침내 자신에게 필요한 감정에 직면하게 되었다.

나를 바로잡기 전에는 그 무엇도 바꿀 수 없다

연애를 시작하기 전부터 가지고 있었던 상처를 제대로 치유하지 않은 채 내버려두면, 그 상처에 원인을 제공한 바 없는 상대에게 계속 피를 흘리게 된다. 지금 곁에 있는 이 사람은 어린 시절의 우리를 버리지 않았고, 10대 시절의 우리에게 아무것도 아닌 존재 혹은 쓸모없는 존재라는 인식을 심어주지도 않았으며, 우리 자신을 의심하게 만들지도 않았고, 우리에게 거짓말하지도 않았다. 이 모든 짐은 우리가 이 관계로 끌고 들어온 것이다. 이것들은 우리의 상처이며, 우리가 여태 치유하지 않았기 때문에 소울메이트에게 피를 잔뜩 흘린 것이다(물론 그 역시 우리에게 피를 잔뜩 묻혔을 테지만). 그리고 (아마 한 명 이상의) 카르마 사랑에게도 피를 잔뜩 흘렸을 것이다. 이 모든 게 우리가 자신의 상처를 치유하는 데 책임을 지지 않았기 때문이다.

우리는 사랑에 빠질 때마다 영원히 행복할 거라고 생각한다. 그렇지 않고 사랑의 유통 기한이 뻔히 보인다면 누가 새로운 사랑을 하겠다고 나서겠는가? 당구를 치고 있는 저 귀여운 남자, 저기 건너편에 서 있는 바텐더, 초록색 셔츠를 입고서 친구들과 떠들며 웃고 있는 남자가 보이는가? 한 사람은 하룻밤 상대, 한 사람은 6개월짜리, 그리고 나머지 한 사람은 3년간 사귀다가 파혼할 상대라는 걸 미리 알 수 있다면 어떻게 하겠는가? 누구를 택하겠는가? 이 사랑은 자기 치유라는 진정한 과제로 넘어갈 수 있도록 이별을 목적으로 한다는 걸 처음부터 알고 시작한다면 상황이 달라질까?

카르마 사랑은 우리가 얼마나 여러 번 경험하든, 얼마나 오랫동안 관계를 이어가든, 설사 그들과 결혼해서 아이까지 낳더라도 결코 영원히 지속될 운명이 아니다. 이 단계에서는 아직까지 해결해야 할 문제가 너무나도 많다. 이 사랑의 목적은 우리가 우리의 문제를 더는 모른 척하지 않도록 거울이 되어주는 것, 하나뿐이다.

이 사랑은 우리 삶에 들어와 우리에게 심각한 상처를 입힘으로써 우리가 더는 다른 사람에게 우리의 문제를 투사하거나 그들을 비난하지 못하게 하고, 우리의 행동, 특히 우리의 상처를 책임지게 만든다. 그래서 마침내 우리가 원래 고통의 원인을 제공한 적 없는 사람들에게 더 이상 피 흘리지 않을 수 있도록 말이다.

이 사랑은 우리가 어렸을 때부터 묻어놓은 감정을 비롯해 모든 감정을 마주하지 않고는 버틸 수 없도록 만든다. 물론, 어린 시절로 돌아가야 한다는 말이 클리셰처럼 들릴 수 있다는 것을 안다. 그러나 언젠가 내 친한 친구가 말했듯 "클리셰가 된 데는 다 그만한 이유가 있는 법이다." 우리는 어렸을 때 인생의 규칙을 배운다. 그 규칙이 직관을 믿으라는 것이든 상처 받지 않도록 사람들을 너무 가까이 두지 말라는 것이든 말이다. 어렸을 때 우리가 흡수한 것들을 바탕으로 인생의 청사진을 그린다. 물론 우리는 멋진 것들도 배운다. 우리에게 롤모델이 되어주는 사람들도 있다. 그러나 카르마 사랑의 단계에서 우리가 알아야 할 것은 먼저 우리의 내면을 바로잡기 전까지는 외부의 어떤 것도 바로잡을 수 없다는 사실이다.

3장. 교훈
영원하지 않은 사랑도 있다

가장 힘든 이별은 헤어져야 한다는 걸 알면서도 헤어지고 싶지 않은 이별이다. 우리는 대부분 어느 순간이 되면 카르마 사랑이 더는 건강하지 않다는 사실, 또는 카르마 사랑이 한순간도 건강했던 적이 없다는 사실을 인정하게 된다. 이 관계가 우리 영혼에 이롭지 않다는 사실, 우리의 가치를 존중하지 않는다는 사실, 그리고 이 사람 곁에 이토록 오래 머물기 위해 그동안 우리 내면의 진실을 삼켜야 했다는 사실을 언젠가는 깨닫게 된다. 그러나 이 모든 걸 깨닫는다 하더라도 사랑이 식기 전에 관계가 먼저 끝나기도 한다는 사실을 바꾸지는 못한다.

관계가 지속되는 것과 사랑이 지속되는 것은 서로 전혀 다른 이야기다. 우리는 대개 두 사람의 관계가 바닥을 쳐야만 관계가 끝났다고 인정한다. 바닥을 친다는 건 상대방이 몰래 바람을 피운다거나 버릇처럼 거짓말을 해댄다는 것을 알게 되는 일일 수도 있고, 상대방이 우리에게 보여주려는 모습이 그 사람의 진정한 모습이 아니라는 걸 깨닫게 되는 일일 수도 있다. 그러나 이 모든 상황이 벌어지는 건 우리가 뭔가 조치를 취해야 한다는 것을 알려주기 위한 것이지 더는 이 사람을 사랑하지 않게 만들기 위한 게 아니다.

카르마 사랑을 하고 있지 않은 사람, 또는 이런 관계에서 이미 빠져나온 사람들의 눈에는 이런 상황이 아주 간단하고 명료하게 보일 것이다. "그냥 깔끔하게 끝내버려." "전화번호를 차단해버리면 되지." "밖에 나가서 다른 사람을 만나봐." 친구들은 우리가 상대방을 잊도록 도와주고 싶은 마음에 이런 말들을 내뱉는다. 그러나 안타깝게도 카르마 사랑을 "잊어버리기"란 결코 쉬운 일이 아니다. 왜냐하면 이 관계를 끝낼 수 있는 유일한 방법은 개인의 성장과 치유뿐이기 때문이다. 상대방이 좋은 사람이 아니라는 걸 깨달았다고 해서 바로 그다음 날 우리의 감정을 상자에 차곡차곡 담은 뒤 "반송"이라고 써서 보내버릴 수는 없는 노릇 아닌가.

자신의 연약함을 인정하고 자기 사랑을 실천하라

이 연애가 건강하지 않다는 사실을 깨닫는 건 카르마 사랑에서 한 걸음 나아가는 첫 단계일 뿐이다. 비슷한 패턴을 반복하지 않기 위한 교훈을 이해하는 첫 단계, 영원한 사랑을 위한 준비 단계로 향하는 시작에 불과하다. 카르마 사랑은 영원한 사랑, '쏟아지는 별빛을 이불 삼아 잠드는' 건강하고 아름다운 사랑을 하기 전에 거쳐야 할 마지막 수업이라는 점을 명심하라. 카르마 사랑에서 벗어난다는 것은 다른 사람에게뿐만 아니라 스스로에게도 자신의 연약함을 인정한다는 것이다.

카르마 사랑의 실체가 눈에 들어오기 시작하면, 우리는 가장 먼저 지금의 상황 또는 애인을 어떻게 바꿔야 할지 고민한다. 이 책을 여기까지 읽은 여러분이라면 속으로 이렇게 생각할 것이다. '혼자서는 관계를 개선할 수 없지. 다른 사람을 바꾼다는 건 말도 안 되고.' 사실 이 과정은 앞으로 나아가기를 꺼리거나 두려워하는 마음에서 벗어나기 위한 노력까지도 포함한다. 때때로 우리는 새로운 사람과 다시 시작하는 것보다 현 상태에 머무르며 상황을 어떻게 풀어 나갈지 고민하는 편이 낫다고 생각한다. 마치 불행이 우리가 익숙해져야 할 감정이라는 듯 말이다.

그러나 이 관계가 급격히 추락하기 시작하면 우리에게 가르침을 주는 연애 상대, 즉 '선생님' 역시 당황한다. 우리가 중독적인 관계 혹은 오해 속에서 우리의 정체성을 다져 나갔던 것처럼, 상대 역시 같은 방식으로 자신의 정체성을 구축해왔기 때문이다. 우리의 연애 상대는 자신이 통제력을 잃어간다는 생각, 자신이 더 이상 필요한 존재가 아니라는 생각, 또는 이 관계가 소원해지면 많은 것을 잃게 되리라는 생각에 두려워한다.

이제 우리 눈에는 이 연애의 건강하지 않은 면이 보이기 시작하는데, 잃게 될 것에 대한 두려움 때문에 자극받은 상대방은 소유욕을 더 심하게 드러내거나 우리를 더 심하게 통제하려고 든다. 우리가 성장해 그에게서 멀어지고 있다는 걸 느낄수록 질투심이 더욱 심해지고 싸움은 격해진다.

브리아나는 점점 더 두려워지는 남자친구 때문에 한동안 고민에 빠져 있었다. 그녀의 남자친구 오스틴은 처음부터 브리아나를 지배하려 했고 자기애적 성향을 드러냈는데, 시간이 흘러 브리아나가 상담을 시작할 무렵에는 이러한 행동이 점점 더 심각해지고 있었다. 우리는 오스틴의 행동과 두 사람의 관계 속에서 브리아나의 역할, 그리고 그녀가 무의식적으로 이런 연애를 추구했던 이유를 살펴보기 시작했다.

브리아나가 마음을 단단히 먹고 따로 나와 살 집을 알아보자 오스틴은 그녀에게 다른 남자가 생겼다고 생각하며 병적으로 집착하고 질투하기 시작했다. 브리아나는 더 이상 그와의 관계를 유지하고 싶지 않다고 했지만, 그녀도 처음에는 오스틴을 바꾸고 싶어 했다. 나는 브리아나에게 이렇게 말할 수밖에 없었다. "당신의 연애는 비행기고, 지금 추락하고 있어요! 오스틴이든 누구든 남 걱정하기 전에 당신 먼저 산소마스크를 써야 한다고요!" 쉽지 않았지만 브리아나는 결국 이 관계를 끝낼 방법은 하나밖에 없다는 걸 깨달았다. 그녀는 부모님이 사는 집으로 돌아가 오스틴과 모든 연락을 끊었다.

타인을 바꿀 수 없다는 사실, 무엇보다 자기 치유를 우선시해야 한다는 사실을 배우기 위해서 이런 극단적인 경험까지 해야 한다니 좀 과하다는 생각도 든다. 하지만 실제로 이러한 교훈을 얻을 수만 있다면 이는 충분히 가치 있는 일이다.

우리는 타인에게 그들의 잠재력을 최대한으로 발휘하라고 강요할 수 없고, 그들의 행동을 대신 책임져 줄 수도 없다. 우리가 더 나은 대우를 받을 자격이 있다는 걸 타인에게 입증할 수도 없다. 상대방이 다른 이성과 놀아나거나 자고 다니는 걸 멈추게 할 만큼 사랑스러워질 수도 상냥해질 수도 없다. 다른 사람이 우리를 '이해'하도록 만들기 위해, 우리가 우리 자신을 바라보는 것처럼 그들도 같은 시선으로 우리를 바라보게 하기 위해, 사랑스러운 애인이라면 받아 마땅한 대우를 그들에게 받을 수 있도록 하기 위해 우리가 할 수 있는 일은 아무것도 없다.

우리 가치에 합당한 대우를 받아야 한다는 걸 이해하려면 우선 현재 우리가 이를 누리지 못하고 있다는 사실을 받아들여야 한다. 카르마 사랑의 현실을 깨닫는 단계에 이르러서야 우리는 그동안 무슨 일이 일어나고 있었는지 그 진실을 보기 시작한다. 그리고 건강한 관계의 조건이 무엇인지 더욱 분명하게 알아가기 시작한다. 그렇게 우리는 의식적으로든 무의식적으로든 자신의 욕구를 드러내며, 마침내 자기 사랑을 실천하기 시작한다.

카르마 사랑의 중요한 목적은 사랑이 인생의 전부라고 생각하는 우리의 초점을 바꿔놓는 것, 그리고 자기 사랑을 실천하도록 만드는 것이다. 이 둘은 떼려야 뗄 수 없는 밀접한 관계인데, 이는 우리가 자기 사랑을 실천하고 이를 기반으로 살아가는 지점에 도달하기 전까지는 결코 카르마 사랑에서 벗어날 수 없기 때문이다.

사랑을 멈추고 나를 탐구하라

내가 누구에게도 도움이 되지 않으리라고 생각했던 시기가 있었다. 그때 나는 정말로 엉망진창이었다. 터질 때만을 기다리는 재앙 같은 존재였다. 내 마음은 너무나도 많이 상처 나 있었다. 나조차 내게 주지 못하는 인정을 줄 남자를 찾고 있다는 걸 너무도 잘 알고 있었다. 그래서 나는 잠시 사랑을 쉬어 가기로 마음먹었다.

그때 나는 애인 없이 금욕하면서 나 자신에게만 집중하기로 결심했다. 1년 동안 섹스하지 않는 게 내 목표였다. 여러분이 무슨 생각을 하는지 알겠는데, 그렇다. 정말 힘들었지만 그만큼 가치 있는 시간이었다. 그때 나에 대해 아주 많은 걸 알게 되었다. 내가 그동안 남자를 만난 목적이 무엇이었는지, 그리고 내게 내 인생의 주인이 될 수 있는 능력이 충분할 때조차 어째서 끊임없이 다른 남자가 내 인생의 방향을 선택해주길 바랐는지 깨달은 것도 바로 이 시기였다. 내게는 내 삶의 주인이 될 능력이 충분히 있었지만, 나는 그런 능력을 발휘할 의지가 전혀 없었던 것이다.

나는 여전히 툭하면 자기 회의에 빠져서 헤어나오지 못했고, 인생을 어떻게 살아야 할지 고민하기보다 누가 나를 좋아하거나 좋아하지 않는지, 또는 평생 싱글로 살게 되는 건 아닌지 걱정했다. 그렇다. 누구나 겪는 일이다. 그러나 나는 이런 상태에 빠져 있는 나 자신이 지겨웠고, 내 모든 걸 사랑을 기반으로 정의하는 일에 진절머리가 났다. 그래서 데이트, 섹스, 남자를 1년 동안 끊기로 결심했던 것이다.

그 1년은 오케이큐피드OkCupid나 틴더Tinder 같은 데이트 사이트에 정신을 팔거나 친구들과 놀러 나갈 때마다 이상형을 찾아 두리번거리지 않았다. 편안하게 앉아 나 자신을 제대로 들여다 보면서 나를 바로잡는 기회가 되었다. 물론 늘 좋았던 것은 아니다. 매우 힘든 과정이었다. 남이 주는 인정이 그리워서 혼잣말로 나는 가치 있는 사람이라고, 사랑받을 만한 사람이라고 스스로를 위로하고 마음을 다잡으며 잠든 밤이 얼마나 많았는지 모른다. 남자의 손길이 주는 안락함이 얼마나 그리웠는지 모른다.

그러나 그때까지도 그 1년 동안 내가 하고 있었던 일이 사실은 나 자신에게 사랑한다고 말해주는 것이었다는 사실을 모르고 있었다. 그때 나는 그저 상대방과 더 나은 관계를 맺으려고 시간을 들여 나를 바로잡고 있었던 게 아니다. 내가 무엇 때문에 화가 났는지 알기 위해서, 그리고 무엇보다 나 자신과 사랑에 빠지기 위해서 시간을 보내고 있었던 것이다. 사랑에는 옳고 그름이 없다. 우리는 연애에 실패해봐야 하고, 상대방의 가슴에 못을 박아봐야 하고, 우리 마음도 산산조각나봐야 하며, 건강하지 않은 연애도 경험해봐야 한다. 그 과정에서 자신에 대해 얻은 교훈을 통해 꾸준히 성장해서 더 나은 사람이 될 수 있도록 말이다.

그런데 이따금 카르마의 연인이 내 아이의 아버지가 되는 경우가 있다. 이럴 때는 상대를 떠나는 일이 결코 쉽지 않다.

카르마 사랑과의 양육, 결국 문제는 선

카르마 사랑은 중독적이다. 카르마 사랑에선 애정 공세가 큰 부분을 차지하지만, 섹스도 크게 한몫한다. 이는 카르마 사랑과 결혼하는 경우도 많지만, 그냥 하룻밤 사랑을 나누는 일도 많다는 의미다. 대부분 세 번째 유형의 사랑을 느지막이 만나기 때문에 그전에 소울메이트 또는 카르마 사랑과 첫 번째 결혼을 하거나 아이를 낳는 경우가 많다.

소울메이트와의 공동 육아는 어느 정도 시간이 흐르면 아주 멋진 경험이 될 수 있지만, 카르마 사랑은 전혀 그렇지 않다. 자녀 문제가 개입되면, 카르마 사랑에서 벗어나기가 어렵다. 상상을 초월할 정도로 힘들어진다. 오래전에 모든 감정을 정리했지만 여전히 카르마 사랑에 갇혀 있는 듯한 느낌이 든다. 그러나 이 힘든 상황에서 배울 점을 찾는다면, 우리 영혼에 필요한 교훈을 얻을 수 있다면, 양육 관계를 개선할 수 있을 것이다.

키아라는 카르마 연인과 결혼했다. 역시 저항할 수 없을 만큼 거센 애정 공세가 큰 역할을 했다. 그러나 결혼한 지 5년쯤 되었을 때 그녀는 이 관계에서 빠져나가야 한다는 걸 깨달았다. 둘 사이에는 아이가 있었기 때문에 그녀는 결혼 생활을 끝내더라도 이 남자에게서 완전히 벗어날 수 없으리라는 걸 알고 있었다. 내가 키아라를 만난 건 그녀가 이혼하고 몇 년 지나서였다.

그녀는 이혼한 후에도 전남편이 여전히 자신을 자극한다는데 분노하고 있었다. 우리는 그녀의 방아쇠가 무엇인지, 그가 그 방아쇠를 어떻게 이용하는지, 그의 그런 행동을 허용하고 이런 패턴이 반복되는 데 그녀가 어떤 역할을 하는지에 대해 이야기를 나눴다. 결국 문제는 선이었다.

키아라는 언제 어디서나 상냥한 사람이었다. 누구의 마음도 다치게 하지 않으려고 늘 배려했다. 전남편을 떠나기로 마음먹었을 때조차 그의 친구로 남기 위해 애썼다. 키아라는 결혼 생활이 끝나면 전남편의 행동이 나아질 거라고, 그러면 모든 게 괜찮아질 거라고 생각했다. 물론 너무나 당연하게도 이런 일은 결코 일어나지 않았다.

키아라는 나와 상담하면서 전남편과의 관계에 적당한 선을 긋는 노력을 했다. 더 이상 전남편의 친구가 되지 않기로 마음먹었다는 의미다. 그러기 위해 키아라는 호불호의 기준이 되는 것들을 적어 내려갔다. 물론 전남편은 이를 끊임없이 방해했으나 몇 달 지나자 자신의 전략이 더 이상 그녀를 자극하지 못한다는 것을 깨닫고 차츰 행동을 달리할 수밖에 없었다. 키아라가 자신의 카르마 사랑이자 아이 아버지인 남자와 돌고 도는 관계를 결국 끊어낼 수 있었던 것은 두 사람이 각자의 카르마를 청산했기 때문만이 아니라 그로부터 교훈을 얻었기에 가능했다.

카르마 사랑, 거짓 트윈플레임 그리고 촉매 사랑

카르마 사랑을 구분하기 힘든 건, 이를 트윈플레임으로 착각하기 쉽기 때문이다. '거짓 트윈플레임' 현상이다. 카르마 사랑은 운명이길 바라는 사랑, 믿을 수 없을 만큼 깊어 보이는 사랑, 이 사람 없이는 절대 못 살 것 같은 그런 사랑이다. 애정 공세에 중독된 현실을 보지 못한 채 바로 이것이 운명적인 사랑이라고 스스로를 설득한다. 이것이 바로 카르마를 청산하고 건강한 사랑을 맞이할 자리로 가기에 앞서 우리가 배워야 할 마지막 교훈이다.

거짓 트윈플레임은 진짜처럼 강렬하게 느껴지는 관계, 운명처럼 느껴지는 관계, 그 무엇도 대체할 수 없을 것만 같은 관계를 가리키는 용어다. 진정한 트윈플레임 사랑이라면 초반에는 카르마 사랑 같은 열정이 보일 수 있지만, 동반의존이나 자아도취 같은 건강하지 못한 행동은 결코 나타나지 않는다. 또 트윈플레임 사랑은 모든 카르마를 치른 이후에만 가능한 관계이기 때문에 어느 한 사람이 바람을 피우는 일은 결코 발생하지 않는다.

나도 카르마 사랑에 빠져 정신이 나갈 정도로 몰두했던 기억이 있다. 처음에는 그 사람이 정말 내 트윈플레임인 줄 알았다. 그가 까치발을 하고 서 있는 내게 다가와 자신의 입술을 맞대는 순간, 땅이 들썩이는 것만 같았다. 눈앞에서 불꽃이 일었다. 한 번도 느껴본 적 없는 경험이었다. 나는 우리가 전생에 쌓은 카르마를 청산하기 위해 서로의 인생에 끼어들었다는 현실을 있는 그대로 보지 못한 채 우리 둘이 영적으로 아주 깊이 이어져 있어서 그런 거라고 생각했다.

그때 내가 청산해야 했던 카르마(즉 내가 얻어야 했던 교훈)는 내 가치를 깨닫는 것, 그리고 그 누구보다 나 자신을 더 많이 사랑하는 것이었다. 당시 내 행동으로 미루어봤을 때 내게는 분명 동반의존적 성향이 있었다. 연애할 때 나는 상대방이 나를 필요로 하는 상황을 즐겼다. 그리고 이런 내 행동은 상대방에게 해로울 수밖에 없었다. 나는 애인에게 어떤 대우를 받아야 할지 잘 알고 있었고, 그런 대우를 받는 상황에 대해 줄곧 합리화했다. 카르마 사랑의 황홀함을 잃을까 봐 두려웠기 때문이기도 하지만, 다시는 사랑받지 못할까 봐 두려웠기 때문이기도 했다. 나는 아직 사랑하는 사람을 떠나야 했던 적이 없었고, 상대방과 나 자신 중에 누구에게 연민과 사랑을 베풀어야 할지 고민해야 했던 적도 없었다.

카르마 사랑에서 흔히 볼 수 있는 딜레마다. 우리가 이런 딜레마에 빠지는 건 둘 사이가 워낙 끈끈해서라기보다는 우리가 자신을 희생해서라도 상대방을 바꿔보려고 애쓰는 탓에 상대방을 자신보다 더 우선시하는 데 너무 익숙해져 있기 때문이다. 건강한 관계라면 결코 우리 자신을 희생하게 내버려두지 않는다. 건강한 관계라면 결코 우리의 가치 또는 우리가 받아 마땅한 대우를 타협하게 만들지 않는다. 여기서 내가 받아 마땅하다고 말하는 건, 보석 선물이나 헬리콥터를 타는 데이트 따위가 아니라 정직, 존중, 신뢰 같은 대우다. 그리고 그 어떤 관계라도 상대방을 사랑하기 위해 자기 사랑을 제쳐놓게 해서는 안 된다.

상담하면서 카르마 사랑, 거짓 트윈플레임을 설명할 때 나는 촉매 사랑이라는 용어를 자주 사용한다. 이 사랑 없이는 새로운 여정에 오를 수 없기 때문이다. 이 사랑이 없었으면 우리는 자신을 다른 시각으로 바라보지 못했을 것이고, 삶의 다른 측면을 들여다보지 못했을 것이며, 건강한 연애를 하면서 우리 자신을 위해 목소리를 내는 자리에 이르지 못했을 것이기 때문이다. 모두가 트윈플레임을 만나고 싶어 하지만, 그러려면 먼저 아주 많은 카르마를 청산해야 한다. 그리고 카르마를 청산한다는 게 어쩌면 특정 상대와 평생에 걸쳐 상처를 주고받는 경험이 될 수도 있다는 사실을 알아야 한다.

시드니는 트윈플레임이라고 믿었던 남자와 연을 끊기 위해 도움이 필요하다며 나를 찾아왔다. 이미 수많은 영적 치유자들을 만나본 시드니는 두 사람이 여러 생을 함께한 사이라는 걸 잘 알고 있었다. 시드니를 처음 만난 날, 나는 어떤 사랑이든 간에 억지로 연을 끊을 수는 없다고 얘기했다. 우리가 필요한 교훈을 얻어서 더 이상 그들이 필요하지 않게 되면 그 인연의 끈은 알아서 사라진다.

상담을 진행하는 동안에도 이 남자는 계속해서 시드니의 인생에 끼어들었지만, 단 한 번도 그녀의 욕구를 채워주겠다거나 그녀를 최우선으로 삼겠다고 말하지 않았다. 남자가 이렇게 시궁창 같은 대우를 하는데도 시드니는 여전히 그가 자신의 트윈 플레임이라고 믿었다. 남자는 다른 여자들과 잠자리를 하거나 일방적으로 연락을 끊을 때도 있었다. 한마디로 사랑할 준비가 전혀 되어 있지 않은 남자였다. 시드니에게 하는 행동을 보면 전반적으로 진실도, 정직도 결여되어 있었다. 그런데도 시드니는 최악의 순간에 다다를 때까지 그의 본모습을 제대로 보지 못하고 끝까지 버텼다. 그러다 결국 그와 끝내기로 마음먹었다. 사실 해롭기만 한 이 남자가 어느 날 갑자기 제대로 된 사랑을 줄지도 모른다는 희망을 버리는 것 외에는 정말로 끝냈다고 할 만한 것도 없었다.

시간이 흐르면서 시드니는 강해졌다. 시드니는 상처를 치유하면서 그 남자와 여러 생을 함께하며 쌓았던 카르마를 깨끗이 청산했다. 시드니는 그 남자 덕분에 영적 여정에 나설 수 있었고, 그 결과 자기 성장을 이루고 상처를 치유했으며, 나아가 인생의 더 큰 목적을 발견할 수 있었다. 자신을 위한 진정한 사랑이 여전히 존재한다는 믿음을 갖게 되자 그녀는 새로운 남자를 만나 행복해지는 데 집중할 수 있었다. 세상으로 내보내는 자신의 주파수를 바꾼 것이다. 마침내 시드니는 자신의 핵심 욕구를 불러들였다. 또 전생의 카르마적 에너지뿐만 아니라 사랑하는 데 방해가 되는 어린 시절의 상처들까지 치유했다.

촉매 사랑 그 자체는 영원히 지속될 운명이 아니지만, 우리 자신과 우리 인생에 미치는 영향만큼은 평생 간다. 시대에 뒤떨어진 스토리, 우리 가치보다 부족한 대우를 받아도 된다는 믿음을 마침내 떨쳐낼 수 있게 해주는 게 바로 카르마 사랑이다. 이 사랑을 통해 우리는 사랑이 우리가 생각했던 방식으로 찾아오지 않는다는 것, 그리고 어쩌면, 정말 어쩌면 인생에 연애보다 더 중요한 게 있을지도 모른다는 사실을 깨달아야 한다. 촉매 사랑의 연인보다 우리 삶에 더 많은 변화를 가져다줄 수 있는 사람은 존재하지 않는다. 그러므로 그들이 트윈플레임을 가장한 사기꾼이라 할지라도 우리는 이들과의 경험에 평생 감사해야 한다.

모든 사랑이 영원히 지속될 운명은 아니다

카르마 사랑이 우리 삶에 개입하는 건 오로지 소중한 교훈을 주기 위해서다. 영원히 지속되기 위해서가 아니라 우리 기도에 응답이 되기 위해서, 그들이 우리의 이상형이라서가 아니라 천천히 그리고 의도적으로 우리 삶을 한 가닥씩 찢어놓은 뒤 우리가 변하고 성장하고 결국에는 영원한 사랑을 받을 상태에 다다르지 않고는 못 배기게 만들기 위해서다. 이 단계에서 우리가 가장 먼저 인지해야 하는 것은 모든 사랑이 영원히 지속될 운명은 아니라는 사실이다. 어떻게든 우리가 이 관계를 통제할 수 있다는 생각, 상대방과 대화를 더 많이 나누고, 섹스를 더 자주 하고, 더 많은 것을 주면 이 관계가 그토록 원하던 모습으로 마법처럼 바뀔 것이라는 생각을 내려놓아야 한다. 또 우리 자아와도 화해해야 한다. 우리가 얼마나 대단한 사람이든, 우리가 얼마나 사랑스럽고 선한 사람이든 간에 우리가 상대방에게 준 만큼 돌려받을 수 있도록 상대방을 움직일 수 없다는 사실을 받아들여야만 한다. 타인의 마음에 더 잘하고 싶다는 마음을 심어줄 수는 없다. 그리고 우리의 성장을 위해 실패라는 유일한 목적을 품고 우리 삶에 찾아온 사랑을 우리 뜻대로 지속시킬 수도 없다.

두 번째로는 이 사랑 이후에 생길 일에 대한 두려움에 대처하는 방법을 배워야 한다. 사랑은 어렵다. 이 말을 반박할 사람은 아무도 없을 것이다. 많은 사람이 새로운 시작을 위한 끝맺음의 가능성까지 차단한다. 물론 사람은 누구나 혼자라는 생각을 하든, 나를 가르켜 '내 것'이라고 부르는 사람이 없으면 내 가치가 곤두박질친다고 생각하든 혼자 남는 것을 두려워하는 것은 자연스러운 감정이다. 그러나 우리는 외로움이나 두려움 때문에 누군가와 함께하려고 애쓰지 않도록, 혼자 있는 것에 익숙해져야 한다.

카르마 사랑의 세 번째 단계를 '교훈'이라고 부르는 데는 그만한 이유가 있다. 이 단계가 되어야 우리가 진정 배울 수 있기 때문이다. 우리는 우리가 바라는 모습이 아니라 있는 그대로의 모습으로 바라보는 방법을 배운다. 건강하지 않은 행동을 알아보는 방법을 배운다. 그리고 자신을 우선시하는 방법을 이때부터 조금씩 배워 나간다. 어렸을 때 우리는 (특히 여자들은) 이기적으로 굴면 안 된다고, 사랑은 언제나 이타적이어야 하므로 타인의 필요를 우선시해야 한다고 배운다. 그러나 이렇게 해서는 정신적, 정서적으로 고갈될 뿐 결코 자기실현을 이룰 수 없다.

이토록 중요한 인생 교훈을 얻기 전까지는 혼자 있기보다 누구라도 곁에 두는 편이 더 낫다고 생각한다. 자신에게 특별히 잘해주는 사람이 아니더라도 말이다. 우리가 이렇게 생각하는 건 누구나 성인이 되면 짝을 찾아 결혼하고 아이를 낳을 거라고 기대하는 문화적 규범 때문이다. 사회적 측면에서 보자면 우리 사회가 굉장히 부부 중심적이기 때문이다. 심지어 여행을 가서 호텔에 묵을 때도 기본적으로 2인실 요금을 지불해야 한다. 독신으로 살 거라고 얘기하면 사람들은 이를 개인의 선택으로 받아들이기보다 인생이 힘들겠다고 생각한다. 이런 고정관념과 틀에 박힌 생각이 조금씩 변하고 있기는 하지만, 이는 아주 최근의 얘기다. 결혼에 대한 전반적인 생각과 관계의 패러다임이 달라지려면 우리 모두가 고정관념을 버려야 한다.

세 가지 유형의 사랑을 겪으며 성장한다는 건 두 유형의 사랑을 거친 다음에 '순백의 성대한 결혼식을 올리고 행복하게 살았습니다'라는 사랑에 이를 수 있다는 의미가 아니다. 이는 우리 사회의 인식을 바꾸어 나간다는 의미다. 더 많은 사람이 소울메이트와 카르마 사랑의 교훈을 인지하고 배우게 된다는 건, 우리 주변에 깨달음을 얻고, 스스로 치유하고, 나아가 세상에 변화를 만들어내는 사람들이 늘어난다는 의미다. 이 단계는 관계의 지속 여부와 무관하게 우리를 더 나은 사람으로 만들어준다.

완전히 끊어내기, 받아들이면 자유로워진다

우리가 바랐던 모습과는 뭔가 다르다는 걸 일단 받아들이고 나면, 지금과는 다른 상황이 펼쳐질 수도 있다는 생각에서 자유로워진다. 그러므로 하나 남은 큰 교훈을 얻으려면, 설사 마지막에 결국 배신을 당하더라도 관계의 가치, 사랑의 가치를 볼 수 있는 곳으로 가야 한다. 카르마 사랑이 망해버리더라도 (십중팔구 그럴 테지만) 복수심이나 분노에 휘말려 행동하지 말고, 한 걸음 뒤로 물러나 우리 행동에 책임지고, 건강하지 않은 관계를 만든 우리의 책임을 인정하고, 전 연인과 우리 자신을 용서할 수 있는 위치에 다다라야 한다. 이를 실천하는 건 가장 큰 교훈을 얻는 단계이며, 남아 있는 카르마를 모두 청산하고 영원한 사랑을 맞을 수 있도록 우리를 올바른 위치에 데려다놓는 단계다.

이 같은 교훈을 인정하는데 마음이 아프지 않고 괴롭지 않다면 이제 과거를 성공적으로 잊고 한 발짝 나아갔다고 생각해도 된다. 이는, 겉보기엔 어떨지 몰라도 우리 자신이나 상대방의 나쁜 행동에 대해 변명하기 위해 하는 말이 아니다. 둘의 차이는 단순히 사이클에서 벗어났을 뿐만 아니라, 우리가 카르마의 존재를 인지하고 치유했기 때문에 둘 사이의 강렬한 관계가 끊긴다는 것이다. 즉, 인연이 끊긴다는 말이다. 여러 생을 거듭해

말 그대로 연이 닿아 있는 존재이기 때문에 인연이라는 단어는 이 관계를 아주 잘 묘사해준다. 물론 이는 우리가 운명이라서가 아니라 더 높은 자기가 되기 위한 열쇠를 나눠 갖고 있기 때문이다.

카르마가 제대로 청산됐는지 알 수 있는 방법이 있다. 카르마가 깨끗이 청산됐다면 상대방이 여전히 매력적이고 그와 대화하는 게 불편하지 않지만, 그를 보면서 '어떻게 해야 저이의 관심을 끌 수 있을까? 옷을 갈기갈기 찢어버리고 싶다' 같은 감정이 들지 않는다. 이를 받아들인다는 게 바로 성장하고 치유됐다는 신호다.

이 연애의 교훈을 진심으로 체득하고 다가올 사랑을 향해 마음의 문을 닫지 않으려면, 우리는 전 연인과 화해하고 평화로운 지점에 도달해야 한다. 이는 연애가 공식적으로 끝난 뒤, 두 사람 모두 깊이 생각할 시간을 가진 다음에야 가능한 일이다. 안타깝게도 이는 이 관계를 끊어내는 일이 소울메이트와의 이별보다 더 어렵다는 걸 보여준다. 상대방을 향한 감정이 사랑인지 미움인지 확신하지 못한 채 우리는 대부분의 아침을 그와 함께 맞이하면서도 '우리가 지금 사귀는 거야, 헤어진 거야?' 하고 의문을 갖게 되는, 이도 저도 아닌 상황에 한동안 머무르게 될 것이다.

엘리사도 그녀의 카르마 사랑이 트윈플레임이길 바랐다. 그 연애가 건강한 관계라서가 아니라 상대방이 익숙한 사람이라는 이유 때문이었다. 엘리사는 상대방과 사랑에 빠졌을 뿐 아니라 그들이 만든 스토리에도 푹 빠져 있었다. 애인인 케일럽이 엘리사에게 그녀는 자신의 트윈플레임이 아닌 것 같다고 솔직히 얘기해도 소용없었다. 엘리사는 여전히 두 사람이 트윈플레임이라고 믿었고, 케일럽이 곧 진실을 깨닫게 될 거라고 생각했다. 엘리사는 그와의 관계가 트윈플레임 사랑이 아니라고 인정하면 무슨 일이 생길지 두려웠던 것이다. 이는 상대방이 일관되지 않은 행동을 하거나 심지어 배신하더라도 이를 받아들일 거라는 의미였고, 헤어지기 싫은 마음 때문에 비참한 관계를 미화하고 있다는 의미였다. 그러다 더 이상 어찌할 바를 모를 것 같은 상황이 되어서야 그녀는 나를 찾아왔다.

결국 우리 중 대다수가 그렇듯이, 엘리사 역시 상대방을 잊고 다음 단계로 나아가기를 두려워했다. 헤어진 이후에 무슨 일이 일어날지 몰랐기 때문에 케일럽이 자신의 트윈플레임이 아닌 이유, 이 연애가 건강하지 않은 이유를 깡그리 무시하는 게 더 편했던 것이다. 이러는 동안에 그녀는 자신의 욕구를 깊이 억눌러놓아야 했고, 스스로에게 끊임없이 거짓말을 해야 했다. 자신의 진정한 모습이 아니라는 걸 알면서도 그렇게 행동해야 했다.

마침내 엘리사는 용기를 내 케일럽과의 관계를 끊어냈다. 여전히 케일럽이 그리웠고 그에게 돌아가고 싶은 마음이 들었지만, 한편으로는 자유로웠다. 마치 인생의 가장 큰 시험을 통과한 듯한 기분이었다.

우리가 다음 단계로 넘어가는 일을 덜 두려워하고 내면의 평화를 소중하게 여기기 시작하면, 얼마 지나지 않아 더는 이 관계가 중요하지 않다고 느끼는 지점에 도달하게 된다. 왜냐하면 이 관계는 우리에게 뭔가를 주기는커녕 오히려 우리가 가진 것을 빼앗아간다는 느낌을 주기 때문이다. 카르마 사랑과 어떤 식으로든 연애 관계를 지속하려고 하면 이런 기분을 느끼게 될 것이다. 그리고 우리의 가치, 우리가 마땅히 받아야 할 대우, 직관, 자기 자신에 대한 사랑 등 포기할 수 없는 가치를 우리 머릿속에서 몽땅 지워내야 할 것이다. 한마디로 카르마 사랑을 선택할지 우리 자신, 내면의 평화, 자신을 향한 사랑을 택할지 결정하는 문제가 된다.

우리가 우리 자신을 선택할 만큼 강해진다는 것은, 그동안 제대로 보살피지 않아서 다른 사람에게 피를 흘렸던 우리 영혼의 상처를 치유하는 과정에 들어갔다는 의미이기도 하다. 바로 이 점이 카르마 사랑을 대단하게 만든다. 이 사랑은 우리 앞에 가장 가혹한 길을 펼쳐놓지만, 지난 상처와 가족에게 받은 좋지 않은 영향, 카르마를 지울 수 있는 기회를 준다. 물론 그러려면 우리는 반드시 우리 자신을 선택해야 한다.

다른 누구보다 나를 선택하라

우리가 우리 자신을 선택하지 않으면 그 누구도 우리를 선택하지 않는다. 우리는 치유하고 성장해 나가면서 우리의 본모습을 찾아갈 뿐만 아니라 그동안 진정한 친밀감을 누리지 못하도록 우리를 방해하고 있던 우리의 모든 상처를 치유해 나간다. 트윈플레임은 우리가 자신을 치유할 때까지, 그래서 그들을 맞이할 준비가 될 때까지, 그리고 그들과 비슷한 수준의 에너지 진동을 낼 때까지 그들의 모습을 우리에게 드러내지 않는다. 이런 위치에 도달하려면, 치유라는 미명하에 예전에 만났던 사람과 비슷한 사람을 만나는 일이 없도록 카르마 사랑의 단계에서 얻은 교훈을 적극적으로 활용해야 한다.

우리가 카르마 사랑에 빠져 있다는 걸 알고 있거나 객관적으로 봤을 때 그런 것 같다는 생각이 든다면 다음 단계는 당연히 이 관계를 끝내는 것이지만, 그렇다고 해서 꼭 그들을 향한 사랑을 멈출 필요는 없다. (단 한순간도 건강했던 적은 없겠지만) 더 이상 건강하지 않다는 이유만으로도 깨끗하게 관계를 끝낼 수 있다. 심지어 그들과 헤어지는 순간에 그들에게 사랑한다고 말해도 된다. 치유와 긍정의 에너지를 뻗어도 된다. 그러나 그렇다고 해서 지금까지의 상황을 그대로 유지한다거나 현 상태를 받아들여야 한다는 건 절대 아니다.

이 사랑의 끝에 폭발이 일어나리라는 걸 알고 있다고 해서 이 관계를 꼭 좋지 않게 끝낼 필요는 없다. 이는 순전히 우리가 우리 자신의 일을 얼마나 잘 해낼 수 있느냐에 달려 있다. 자신의 일을 한다는 이 문구가 요즘 인기를 얻고 있는 것 같은데, 사실 이 말은 우리가 우리 자신의 시궁창 같은 면까지 깊숙이 들여다본다는 의미다. 우리 자신의 일을 한다는 건 이를테면 우리가 어째서 연상만 만나려고 하는지, 어째서 섹스한 뒤 상대와 그날 밤을 같이 보내려고 하지 않는지 스스로에게 묻는 것이다. 즉, 정말로 열려 있는 관계, 건강한 관계, 순기능을 발휘하는 관계가 되지 못하도록 방해하는 요소를 파헤치려고 노력한다는 의미다.

나아가 우리 자신의 일을 한다는 건 변명하지 않겠다는 의미, 이전과 똑같은 패턴을 반복하지 않겠다는 의미다. 모든 문제를 다른 사람 또는 부모님 탓으로 돌리지 않겠다는 의미다. 어렸을 때 트라우마가 될 만한 경험을 하지 않은 사람을 찾아야 한다는 생각에 사로잡힐 수도 있지만, 그렇다고 해서 어렸을 적 경험이 현재 우리가 하는 모든 행동의 변명이 될 수 있는 건 아니다. 어렸을 때 학대나 부모의 죽음 같은 정말로 끔찍한 일을 겪을 수도 있지만, 우리 모두에게는 이를 치유할 능력이 있다. 그리고 인생은 "내 고통이 네 고통보다 더 크다"라든지 "내 인생이 네 인생보다 훨씬 더 힘들었으니까 내게는 이렇게 행동할 권리가 있어. 내 상처가 얼마나 크고 심한지 한번 보라고" 같은 말을 할 수 있는 성질의 것이 아니다.

우리 자신의 일을 하는 과정과 치유하는 과정은 우리에게 어느 정도 상처가 있는 걸 안다고, 아픔이 있는 걸 안다고, 배신 당한 걸 안다고 위로해준다. 그러나 성장이 시작되는 건 우리가 "이제 됐어!"라고 말하는 순간부터다. 우리 자신을 선택한다는 건 우리 자신을 치유하는 일을 최우선 순위로 둔다는 의미다. 우리 자신을 선택하는 일은 지금까지 이랬다고 해서 앞으로도 이래야 한다는 의미는 아니라고 말하는 순간부터 시작한다. 우리를 사랑한다고 말하는 이들에게 우리에게 그렇게 대우를 해서는 안 된다고 말하는 순간부터 시작한다. 그러나 우리 자신을 선택하는 일을 하겠다는 이유로 다음 단계로 나아가지 못하고 있어서는 안 된다.

우리는 치유받을 자격이 있고, 용서받을 자격이 있으며, 과거의 일과 무관하게 가장 높은 수준의 사랑을 받을 만한 가치가 있다는 사실을 한 치의 의심 없이 믿어야 한다. 이 과정을 통해 우리가 얻어야 할 교훈은 상대를 용서함으로써 우리 자신도 용서할 수 있다는 것이다. 이 과정을 통해 우리는 이러한 경험을 해야 했던 우리 자신을, 우리 자신의 마음을 아프게 하는데 일조했던 우리 자신을, 그리고 우리의 가치보다 더 못한 대우를 받아들였던 우리 자신을 용서할 수 있게 된다.

피해 의식 없이 현재의 상황을 온전히 바라볼 수 있을 때 우리는 비로소 다른 시각으로 카르마 사랑의 끝을 바라보게 된다. 그제야 동반의존 문제를 혼자 남을 두려움으로 바라볼 수 있게 되고, 바람피우는 문제를 우리 욕구로 두둔할 것인지 확인하는 시험으로 바라볼 수 있게 된다. 거짓말은 우리 자신의 진실을 표현해야 한다는 교훈이 되고, 배신은 용서를 시험하는 관문이 된다. 우리 자신의 일을 한다는 것은 이 관계 속에서 개인적인 시각을 배제한다는 의미다. 이 일은 우리에게 상처 주기 위해서 일어난 게 아니다. 우리가 기분 나쁘게 받아들이지 않는다면 이 경험으로부터 무엇을 얻을 수 있을지 순수하게 들여다볼 수 있다. 아무리 잔인한 배신을 당했더라도 그 안에는 아름다운 교훈이 있을 수 있다.

한나는 자신의 트윈플레임일 거라고 생각했던 남자와 사귀고 있었다. 두 사람은 너무나도 잘 맞았다. 속궁합까지 말도 안 되게 완벽했던 터라 무슨 일이 있어도 이 관계를 끝낼 수 없을 것 같았다. 두 사람이 처음 만났을 때 둘 다 이미 다른 사람을 만나고 있었다는 사실이나 사귀기 시작한 이후로도 남자가 아이 어머니와 꾸준히 만났다는 사실은 전혀 문제가 되지 않았다. 이렇듯 아무것도 문제가 되지 않았던 건 한나가 항상 남자의 행동에 핑계를 만들어주었기 때문이다. 한나는 남자의 모든 행동에 이유가 있다고 믿었다. 그리고 첫날부터 느끼고 바랐던 모습이 언젠가 현실로 이루어질 만큼 자신들의 사랑이 강하다고 믿었다.

물론, 즐겨 마땅한 연애를 위해 징역살이하듯 모든 것을 그저 참고 견뎌야 한다고 생각한 건 한나의 첫 번째 실수였다. 그러나 이는 사랑을 시작할 때 피할 수 없는 여정으로, 한나도 거쳐갈 수밖에 없었다. 그러나 이 연애가 끝나갈 무렵, 그녀가 자신의 경제권을 송두리째 그에게 넘기고 난 이후에, 함께 여행하고 미래를 계획하고 서로의 사랑을 확인하면서 1년 넘도록 한나가 재정 지원을 한 이후에, 남자는 느닷없이 자신의 행복을 찾아 다른 여자와 함께 다른 나라로 떠나버렸다. 한나의 마음이 무너졌다고 말하는 건 그나마 점잖게 표현한 것이다.

한나에게는 단순한 연애가 아니라 인생 그 자체였다. 한나가 영원할 거라고 믿고 키워왔던 사랑을 이 남자는 갈기갈기 찢어놓은 채 떠나버렸다. 그녀는 더 이상 사랑을 믿을 수 있을지 모르겠다고 말했다. 내가 처음 한나와 만났을 때 그녀는 그 남자에게 여전히 화가 나 있는 상태였다. 누구라도 그랬을 것이다. 사실, 한나는 단순히 화가 난 게 아니라 "1995년에 개봉한 영화 〈사랑을 기다리며Waiting To Exhale〉에서 자동차에 불을 지르는 앤절라 바셋"처럼 차원이 다른 분노를 표출하고 있었다. 그러나 그녀가 자신의 역할을 제대로 하지 않은 걸 부끄러워하고 있지는 않았다.

한나는 자신이 경고 신호들을 무시했고, 진실이 두려워서 그에게 일부러 아무것도 묻지 않았으며, 마음속 깊은 곳에서는 그에게 다른 여자가 생겼다는 걸 알고 있었다고 인정했다. 그녀는 이별뿐만 아니라 자신이 타인과 맺고 있는 관계 전체를 돌아보기 시작했다. 그녀는 엠패스Empath(심리학에서 다른 사람의 감정을 극도로 민감하게 느끼는 사람을 일컫는 말.―옮긴이)로, 자신에게 동반의존적 성향이 어느 정도 있었다는 것, 전 애인이 완벽한 자아도취자는 아니었길 바라지만 그런 행동 패턴을 보이긴 했다는 걸 인정했다. 그녀는 그 관계를 꽉 채울 만큼 자신이 그에게 충분하게 사랑을 주고 있는지 확신하지 못했기 때문에 애인이 다른 여자를 만나는 것을 괜찮다고 생각했음을 인정했고, 그가 저지른 행동을 용납할 수는 없지만, 일이 이렇게 된 데는 자신에게도 책임이 있다고 결론 내렸다. 내면의 평화와 자기 사랑을 추구했기 때문에 그녀는 인연을 완전히 끊어냈지만, 그 남자를 향한 사랑만큼은 쉽게 사그라들지 않았다. 하지만 자신에게는 그가 준 것보다 더 나은 대우를 받아야 할 가치가 있다는 깨달음, 그리고 지난 모든 경험에 대단히 감사해야 한다는 깨달음이 그녀의 마음속 깊이 뿌리내렸다. 그래서 그녀가 그를 용서하고, 그에게 사랑했노라고 얘기하고, 한 걸음 나아가 자신을 치유할 수 있도록.

모든 사람이 한나처럼 즉시 용서하고 다음 단계로 나아갈 수 있는 것은 아니지만, 이는 분명 우리가 지향해야 할 방향이다. "용서받을 자격도 없는 놈이야"라고 말하는 건 사실 우리 스스로 용서받을 자격이 없다고 말하는 것이나 마찬가지다. 용서는 우리를 위한 행동이다. 그 사람이 우리의 용서를 받을 자격이 있는지 없는지를 우리가 판단할 필요는 없다. 우리가 할 일은 우리가 고통에서 벗어나 앞으로 나아갈 수 있도록 우리 자신을 용서해주는 것뿐이다.

카르마 사랑만큼 우리의 용서하는 능력을 시험하는 관계도 없다. 이는 카르마의 연인이 우리의 상처받은 마음을 붙잡은 채 우리를 더 많이 사랑하겠노라고, 소울메이트와는 할 수 없었던 것을 해주겠노라고, 함께 성장하겠노라고 약속하기 때문이기도 하다. 그리고 그들은 약속을 지켰다. 그저 우리가 바란 방식이 아니었을 뿐.

함께할 운명이 아니라는 것을 알면서도 누군가를 사랑할 수는 있다. 그러나 영원히 지속되어야 할 사랑, 영원히 지속되어야 할 관계는 오직 하나뿐이다. 그 외에 모든 것은 그저 아름다운 교훈, 우리의 영원한 사랑이 있는 곳을 알려주는 나침반일 뿐이다.

세 번째;

• 트윈플레임,
성장하는 사랑

1장. 꿈
사랑은 언제나
노력할 만한 가치가 있다

상심한 상태에서 또 다시 사랑에 빠지는 일을 상상하기란 매우 어렵지만, 사랑은 늘 우리도 모르게 슬쩍 찾아온다. 그러나 이전의 경험과는 달라서, 그리고 우리가 정말로 사랑을 받아본 적은 있기나 한지 의문이 들어서 이게 사랑이 맞는지 의심하게 된다. 게다가 지금까지의 사랑에는 언제나 고통이 따랐기 때문에 그렇지 않은 세 번째 사랑을 있는 그대로 받아들이기가 힘들다.

트윈플레임을 찾아 나서는 사람은 없다. 나와 비슷한 플레임을 공유하는 사람을 마법처럼 찾아주는 데이트 어플 따위는 존재하지 않는다. 혼자서는 완벽하지 않은 이 사람이 우리에게만큼은 완벽한 짝이 되어준다. 초반에는 이 관계에 완전히 빠져들려고 하거나 이를 트윈플레임 사랑이라고 생각하지 않는다. 이때가지는 트윈플레임이라고 하면 모든 게 완벽하다고 믿기 때문이다.

여태껏 사랑은 우리에게 자신을 희생해야 한다고, 설사 행복하지 않은 것 같더라도 계속 노력해야 한다고 말했다. 트윈플레임이라는 개념이 점점 더 널리 퍼지고 있긴 하지만, 여전히 많은 사람이 이 개념을 동화처럼 여긴다. '그래, 아주 멋지고 끝내주는 아름다운 이야기라는 건 알겠는데, 그건 그냥 낭만적인 개념이지 우리에게 실제로 일어날 만한 일은 아니잖아'라고 생각하는 것이다.

폭풍이 몰아치듯 다가오는 이 사랑을 제대로 이해하려면 무엇보다 사랑에 관한 모든 고정관념에 의문을 품어야 한다. 사랑은 대단한 것인가? 그렇다. 사랑은 언제나 수월한가? 그렇지 않다. 물론, 수월한 연애라는 게 요점은 아니다.

트윈플레임은 영적 관계와 밀접하게 연결돼 있다. 우리가 반쪽 또는 운명의 짝을 만났다고 얘기할 때 말하는 그런 사랑이다. 트윈플레임 사랑은 태초에 우리 모두에게 하나의 에너지를 공유하는 짝이 주어졌다고 믿는다. 몇 번의 생애를 거치는 동안 트윈플레임은 다른 몸, 다른 역할, 때로는 다른 성별, 어머니와 자식으로, 형제자매로 또는 친구로 환생한다. 그렇게 영혼의 성장을 이끄는 다양한 교훈을 얻은 뒤 마침내 다시 만나 하나가 되는 것이다.

트윈플레임의 의미를 받아들이기 어려워하는 사람들이 있는데, 남녀 관계를 단순히 누군가와 결혼해서 함께 늙어가는 것이 전부라고 생각하는 경우라면 특히 그렇다. 물론 트윈플레임과도 이러한 일을 할 수 있지만, 트윈플레임이 다른 모든 관계와 차별성을 갖는 점은 바로 이 만남의 목적이 두 사람의 행복과 안녕을 넘어서서 세상을 더 나은 곳으로 만드는 데 있다는 것이다.

트윈플레임, 조건 없는 사랑이라는 미션

트윈플레임 사랑이 지닌 고결한 목적 외에 가장 중요한 요소를 꼽자면 바로 '무조건'이다. 이는 트윈플레임 사랑이 카르마 사랑과 확연히 구분되는 점이기도 하다. 카르마 사랑에는 전생에 쌓은 카르마를 청산해야 한다는 목적이 있다면, 트윈플레임 사랑의 목적은 우리에게 조건 없는 사랑의 의미와 행동을 가르쳐주는 것이다. 이를 아가페agape라고 부르기도 하는데, 이는 지구상에서 경험할 수 있는 가장 고귀한 유형의 사랑이다. 아무런 기대나 조건 없이, 즉 무조건적으로 상대방에게 사랑을 전하는 행동이다.

이 관계는 궁극적으로 상대방과 한 침대에서 따뜻한 밤을 보내게 할 뿐만 아니라 우리가 타고난 모습, 원래 모습에 더욱 가까워지도록 만들어준다. 그 방법이 어렵긴 하지만, 트윈플레임 외에 누구도 대신할 수 없는 일이기 때문에 그 과정 또한 매우 소중하다. 트윈플레임과의 연애는 조건 없는 사랑을 상대방뿐만 아니라 우리 자신, 우리 주변의 모든 사람에게 확장하는 여정이다. 또한 진정한 사랑을 느끼기 위한 여정이며 스스로 주파수가 되어 세상으로 나아가기 위한 여정이다.

무조건적인 사랑이란 현실을 초월하고, 시간을 초월하며, 불가능을 극복할 수 있게 해주는 사랑이다. 또한 "당신이 내게 받은 만큼 사랑을 돌려줘야 나도 당신을 사랑할 거야"가 아니라 "그냥 당신이 당신이라서 사랑해"라고 말하는 사랑이다. 이 사랑은 우리가 상대방에게 특정한 모습을 바라거나 그의 본모습과 다른 행동을 하도록 만들지 않고, 그를 있는 그대로 온전하게 사랑하고 받아들일 수 있다는 사실을 알아가는 과정이기도 하다. 바로 이런 점 때문에 트윈플레임 사랑이 처음부터 너무나도 수월하고, 너무나도 아름답고, 너무나도 자유롭게 느껴지는 것이다. 이 사랑을 얻기 위해 우리가 해야 할 일은 아무것도 없다. 애정 공세를 퍼붓거나 감동을 줄 필요도 없다. 우리를 전혀 희생할 필요가 없다. 우리가 해야 할 일이 있다면 그저 존재하는 것뿐이다.

트윈플레임을 만나기 전에 대부분의 사람은 혼자 지내는 게 이미 편안해진 상태다. 혼자로도 이미 행복해서 다시 연애를 하게 되든 말든 개의치 않는다. 그렇기 때문에 이 특별한 사람을 처음 만나는 순간에도 이 만남에 대한 기대가 없을 뿐더러, 결혼이나 출산 같은 목표도 없다. 따라서 이 경험이 우리를 어디로 이끌어가든 관계없이 그저 이 사람이 존재한다는 것 자체를 느낄 수 있다. 물론 이 연애도 나중에는 노력이 필요하지만, 이미 처음부터 무조건적인 사랑이 존재하기 때문에 만남이 아주 수월하게 느껴지는 것이다.

누군가를 조건 없이 사랑한다고 말하는 사람은 많지만, 이를 실천하는 건 말보다 훨씬 더 어려운 일이다. 그렇기 때문에 우리는 다양한 단계를 거치며 다양한 교훈을 익혀야 하는 것이다. 사랑을 머리로 이해하는 것뿐만 아니라 직접 체현할 수 있도록. 그래서 사랑을 느끼는 게 다가 아니라 사랑에 존재하는 지점에 이를 수 있도록.

그 무엇과도 다른 유일한 사랑

트윈플레임 관계에서 가장 중요한 것은 자신은 물론 상대방을 본모습이 아닌 다른 모습으로 만들려고 노력하지 않는 것이다. 드러내는 모습을 그대로 받아들이다 보면, 이 연애는 유기적으로 형상을 이루어간다. 페로몬이라는 말을 들어본 적 있을 것이다. 알다시피 무의식으로 우리를 끌어당기거나 밀어내는 냄새를 뜻하는 말이다. 진동도 이와 유사한 방식으로 작용한다. 모든 사람은 라디오 기지국처럼 저마다 고유한 주파수로 진동한다. 트윈플레임이 특별한 점은 우리와 동일한 주파수, 동일한 에너지를 발산한다는 것이다. 처음에는 이 사람이 어떤지 묘사도 할 수 없다. 그러나 이미 서로 알고 있는 듯한 느낌, 이전의 모든 관계를 뛰어넘는 수준의 편안함을 느낀다. 트윈플레임은 심지어 만나기 전부터 더 높은 수준으로 진동하기 때문에, 이 말이 비논리적으로 들리겠지만, 서로를 끌어당길 수밖에 없다.

트윈플레임은 서로 고유한 진동을 내보낼 뿐만 아니라 감정도 공유한다. 분노하거나 질투하거나 이기심이 생기거나 슬프거나 심지어 자존감이 낮아 힘들어할 때 우리는 낮은 폭으로 진동한다. 그 주파수가 우리가 평소에 발산하는 것이든 아니든 말이다. 이는 평온, 행복, 수용, 건강한 자기상, 사랑 같은 감정에도 동일하게 적용된다. 물론 이런 감정들은 높은 주파수로 진동한다. 카르마 사랑으로부터 받은 상처를 모두 치유하고 나면 우리의 진동폭은 커진다. 현재에 집중하면서 머릿속 생각을 통제하는 명상 훈련을 시작하면, 우리는 사랑의 주파수를 점점 더 높이며 이 연애의 진정한 목적을 달성할 수 있게 된다.

이 사랑이 흥미로운 건, 우리가 성장할 수 있도록 아주 다양한 면에서 우리를 자극하는데, 그게 전혀 생각하지 못한 방식으로 이뤄진다는 점이다. 이런 이유에서 우리의 트윈플레임은 우리가 전혀 상상하지 못했던 사람일 가능성이 크다. 처음에는 우리와 전혀 맞지 않는 사람이라고 제쳐놓았던 부류의 사람일 수도 있다.

트윈플레임이 다른 인종이거나 다른 문화, 또는 다른 사회경제적 배경을 지닌 사람인 경우도 드물지 않다. 나이 차이가 굉장히 많이 나는 경우도 없지 않다. 트윈플레임이 같은 성(性)으로 환생할 수도 있다. 한쪽은 남성적인 영혼, 다른 한쪽은 여성적인 영혼이라고 하더라도 말이다. 이는 사랑의 장애물이 되기 위해서가 아니라 최고의 사랑은 보통 우리가 전혀 상상하지 못한 방식으로 다가온다는 사실을 알려주기 위해서, 우리 스스로 또는 가족이 심어준 이상적인 파트너에 대한 생각을 떨쳐내기 위해서 그렇게 된 것이다. 이렇게 극단적이지는 않더라도 대부분의 트윈플레임이 서로 전혀 "이상형"이 아니었다고 말한다.

이 같은 현상은 2018년에 개봉한 영화 〈크레이지 리치 아시안Crazy Rich Asians〉에서도 볼 수 있다. 영화에서 레이철(콘스탄스 우 분)은 오랫동안 사귄 남자친구 닉(헨리 골딩분)이 굉장히 부유하다는 사실을 뒤늦게 알게 된다. 이를 처음 알게 된 건, 닉의 가족 결혼식에 참석하기 위해 싱가포르로 가는 비행기에 탔을 때였다(이들의 좌석은 그냥 일등석이 아니라 "럭셔리"석이었다). 뉴욕대학교 교수였던 레이철은 닉처럼 부유한 남자와 사귀게 되리라는 기대나 생각이 추호도 없었기 때문에 깜짝 놀란다. 물론 닉을 향한 마음이 달라진 건 아니다.

외국에 도착하자 그동안 몰랐던 닉의 모습이 보이기 시작한다. 레이철은 전혀 알지 못했던 새로운 삶에 빠르게 적응해 나간다. 물론 이는 그녀가 생각했던 인생 스토리에 포함되어 있지 않은 일이었다.

초반에 레이철은 싱가포르에서 손꼽히는 재벌가와 어울리기 위해 반드시 알아야 할 것들을 익혀 나간다. 그러다 닉의 어머니인 엘리너(양자경 분)와 레이철 사이에 문제가 생기기 시작한다. 엘리너는 레이철이 자신의 아들에게 부족하다며 둘 사이를 격하게 반대한다. 반대가 어찌나 심한지 레이철과 닉의 관계는 이대로 끝날 것만 같다. 영화가 끝나갈 무렵 레이철은 엘리너를 만나 닉을 너무 사랑하기 때문에 자신이 물러서겠다고 얘기한다. 그러면서 훗날 닉이 엘리너가 허락하는 여자와 결혼해서 행복하게 산다면 그건 닉의 행복을 위해 사랑을 놓아준 자신의 덕분이라는 걸 잊지 말라고 말한다. 물론 영화의 마지막에 엘리너가 마음을 바꾸면서 레이철과 닉은 영원한 사랑을 찾아가는 듯하다. 이 영화는 우리가 사랑을 찾으려면 마음속에 지니고 있던 여정을 포기해야 한다는 사실을 보여준다. 사랑은 결코 우리가 상상했던 모습으로 찾아오지 않기 때문이다.

이 유형의 사랑을 진정으로 받아들이려면 상대의 외모, 그 사람의 매력, 심지어 시기까지 모든 게 쉽게 믿기지 않으리란 걸 반드시 알아야 한다. 연애의 전통적인 이정표나 기준대로 흘러가는 게 아무것도 없을 것이다. 이건 정말로 특별한 사랑이기 때문이다. 소울메이트와 카르마 사랑은 여러 명일 수 있지만, 트윈플레임은 단 한 명뿐이다. 트윈플레임은 그 무엇과도 다른 유일한 사랑이다. 그리고 상대가 우리를 사랑하는 만큼이나 우리도 우리 자신을 깊이 사랑하길 바라는 유일한 사람이다.

그러나 이 사랑이 보기 좋고 편리한 상자에 포장되어 다가올 가능성은 희박하다. 트윈플레임 사랑 이전과 이후로 인생이 나뉠 만큼이나 거칠게, 폭풍처럼 다가올 것이다. 트윈플레임을 20대에 만날 수도 있지만, 그런 경우에는 시간이 흘러 나이가 꽤 들 때까지 연인 관계로 발전하기 어렵다. 어렸을 때는 트윈플레임을 맞이할 준비가 되어 있지 않기 때문이다.

트윈플레임을 맞이하려면 상당량의 카르마를 청산해야 하며 우리 자신이 어떤 사람인지 집중해서 파고들어야 한다. 그러기 위해서는 첫 번째, 두 번째 유형의 사랑을 경험하면서 내면의 상처를 치유해야 한다. 그렇지 않으면 트윈플레임에게도 다른 연인에게 한 것과 똑같이 대할 것이고, 그러면 트윈플레임의 특별함을 알아채지 못할 것이다.

제나는 회사 안팎에서 그녀의 트윈플레임과 여러 차례 마주쳤다. 그런데도 제나는 여전히 카르마 사랑에서 벗어나지 못하고 허덕이고 있었다. 카르마 사랑이 주는 혼란과 드라마에 너무 중독된 나머지 그녀의 트윈플레임인 헨리를 제대로 알아보지 못했던 것이다. 제나가 이혼하고 혼자서 몇 년을 지내는 동안 세상은 두 사람을 계속 이어주려고 했지만, 제나는 헨리를 만날 준비가 되어 있지 않았다.

많은 시간이 흐른 뒤에야 트윈플레임을 만나게 되는 건 어쩔 수 없는 일이지만, 이게 문제가 될 수도 있다. 트윈플레임과 처음 만났을 때는 아직 우리가 관계에 큰 결단을 내리기 전이라서 이 감정이나 관계를 불륜으로 치부하고 상대를 밀어낼 수도 있다. 이 감정을 불륜이라고 생각하며 밀어내면 우리는 변할 필요 없이 지금 있는 자리에 그대로 있을 수 있으며, 궁극적으로 삶을 기초부터 다시 세우는 것, 즉 이 연애가 우리에게 요구하는 일을 할 필요가 없다.

이 무렵 우리는 스스로에 대해 아주 많이 알게 되었기 때문에 더 이상 우리를 온전하게 만들어줄 사람을 찾지 않는다. 우리는 혼자서도 자신감 넘치고, 안정적이며, 더없이 행복하다. 그러므로 우리 삶에 트윈플레임이 들어오더라도 다른 무엇이 되어야 한다는 압박감을 전혀 느끼지 않는다. 그저 수월하게 느껴지는 사랑만 존재할 뿐이다. 물론 트윈플레임과의 연애라고 해서 완벽한 것은 아니다. 실수도 있을 수 있지만, 이 연애는 분명 당신에게 영감을 불어넣어준다.

진정한 사랑은 우리 인생을 180도 바꿔놓는다

완벽한 연애란 존재하지 않는다. 그러나 지금 이 사랑은 아주 수월하게 느껴질 것이다. 직장 동료나 친구, 또는 먼 지인 같은 다양한 형태로 수년 전부터 서로의 삶에 이미 트윈플레임이 들어와 있었더라도 그 감정은 겉으로 드러나지 않고 잠들어 있었을 것이다. 편안함, 친숙함, 눈빛을 주고받을 때의 느낌을 통해 우리는 상대방이 우리에게 중요한 사람이라는 걸 직감으로 알 수 있다. 그러나 우리는 상대가 너무 어리거나 반대로 나이가 너무 많다거나 출신 배경이 적절하지 않다는 이유로, 또는 이미 행복한 결혼 생활을 하고 있다고 스스로를 설득하며 이 직감을 무시한다.(내 말이 맞지 않은가?)

때로는 우리 인생이 이미 계획대로 잘 흘러가고 있다고 스스로 다그치며 이런 감정을 완전히 무시한 채 아예 트윈플레임의 존재 자체를 잊고 살기도 한다. 그러고는 5년 뒤에 우리가 어디에서 일하고 있을지, 결혼 생활은 몇 년째에 접어들지, 심지어 휴가를 어디로 갈 것인지 앞날을 계획한다. 그러나 곧 그 순간이 찾아온다.

우리가 사는 지구가 기울어져 있다는 사실만큼이나 이해하기 어려운 일이 발생한다. 어쩌면 생전 처음 만난 사람일 수도 있고, 아니면 갑작스럽게 우리 관점을 뒤집는 상황에 놓일 수도 있고, 알고 지내던 사람이 갑자기 다르게 보일 수도 있다. 딱 그가 우리 삶에 들어올 수 있을 만큼 마음의 경계가 낮아진다. 그리고 그 순간, 우리의 인생은 180도 달라진다. 아이의 학교에 갔다가 선생님과 눈이 마주친 순간일 수도 있고, 주말에 여자들끼리 술집에 놀러 갔다가 건너편에 앉아 있는 낯선 사람과 시선이 맞닿은 순간일 수도 있다. 어떤 식으로든 그 순간이 오면, 우리는 인생의 모든 시간이 바로 이 순간을 향해 달려온 것이라는 느낌을 받는다.

세부적인 내용이 어떻든 간에 인생은 이전과 전혀 달라진다. 우리도 이전과는 전혀 달라진다. 부인하려고 아무리 애써도 절대 불가능할 거라고 생각했던 상황을 결국 맞이한다. 타이밍이 어떻든, 얼마나 말이 안 되는 것 같든, 이제 막 불붙은 이 사랑은 평생 잊을 수 없을 만큼 활활 타오른다.

처음에는 불편해 보일 수도 있지만, 사실 트윈플레임은 아주 기막힌 시점에 찾아온다. 트윈플레임과 마주친 순간, 시몬의 세상은 갸우뚱거렸다. 해마다 친구들과 겨울 여행을 떠났는데, 그해 기적처럼 트윈플레임을 만난 것이다. 그저 우연한 만남이었다. 다른 친구들과 함께 있었는데도 두 사람은 첫눈에 서로에게 끌렸다. 마치 평생을 알고 지낸 사람 같았다. 그렇게 두 사람의 여정은 처음 만난 그 순간 시작됐다. 시몬은 상대방보다 먼저 그 감정과 의미를 받아들였지만, 상대는 끊임없이 괴로워했다. 어쨌든 두 사람 다 다른 사람과 결혼한 상태였고, 자녀도 있었기 때문이다.

사실 시몬은 꽤 만족스러운 삶을 살고 있었다. 남편을 더 늦게 만났더라면 결혼하지는 않았을 것 같지만, 어쨌든 그녀는 남편을 여전히 사랑했고, 함께 아이를 키우며 인생을 꾸려 나갔다. 이혼한다거나 그녀 혼자서 인생을 다시 시작해야겠다는 생각 따위는 해본 적도 없었다. 시몬이 지금도 여전히 배우고 있는 교훈은 트윈플레임 사랑은 오랜 시간이 필요한 진정한 여정이라는 것이다. 이와 다르게 대부분의 연애는 만난 지 한 6개월 정도 지나면 그저 한때의 사랑이란 걸 깨닫고 헤어지거나 더 진지한 관계로 발전해서 가족들에게 소개하든 동거를 시작하든 약혼을 하든 어떤 식으로든 서로의 삶을 한데 결합하는 과정에 들어간다. 인식하든 인식하지 못하든 간에 우리는 결혼 또는 깊은 헌신이라는 결과물을 만드는 사랑의 레시피를 따르고 있는 것이다.

물론 트윈플레임은 다르다. 이 관계에는 정상적인 것 또는 전통적인 게 아무것도 없기 때문이다. 이 여정을 지나는 동안 우리는 연애에 어떻게 접근해야 하는지, 헌신을 어떻게 정의해야 하는지 계속 고민하게 될 것이다. 트윈플레임 사랑의 궁극적인 목적은 성장으로, 대부분의 경우 이 만남이 결실을 맺기까지는 수개월 또는 수년이 걸릴 수도 있다. 이 만남에서 일어나는 성장도 여느 성장과는 다르다. 이 관계는 우리의 과거를 치유하기보다는 미래를 열어준다. 또한 우리가 어떤 사람인지보다는 우리가 어떤 사람이 되어야 하는지를 더 중요하게 생각한다. 트윈플레임과 함께해서는 안 된다는 의미가 아니라 이 만남의 최우선 순위가 개인의 성장이라는 점을 알아야 한다는 의미다. 연애는 언제나 그다음이다.

트윈플레임과의 관계가 진전될수록 시몬은 자신이 사실 아주 오래전부터 행복하지 않았으며, 결혼 생활이 만족스럽지도 않았지만, 너무 천천히 진행된 일이라 자기도 모르게 불만족스러운 감정에 익숙해졌다는 사실을 깨닫게 되었다. 그녀의 트윈플레임도 그의 결혼 생활에 대해 똑같은 감정을 느끼고 있었다. 그는 사람들에게 아내를 사랑한다고 단호하게 얘기했지만, 그렇게 얘기할 때마다 사실 자기 자신을 설득하려는 것 같다는 느낌을 강하게 받았다.

아주 많은 사람이 스스로에게 불행하게 살라고 아니면 불행한 상태에 머물러 있으라고 설득하면서 살아간다. 그러면서 원래 삶은 이런 거라고 자위한다. 이제 어른이니까 어른스럽게 행동해야 한다고, 평생 대단한 성생활을 하면서 정말로 행복하게 사랑하는 사람은 없다고 스스로를 설득시킨다. 그렇지 않은가? 겉으로 드러내서 말하지 않을 뿐, 대부분 속으로는 이렇게 말하며 변화를 피하려 할 것이다. 본질적으로 스스로에게 행복하지 말라고, 죽어가는 또는 이미 다 죽은 관계를 떠나지 말라고 설득하는 것이다. 이유는? 아이가 있으니까, 약혼자가 있으니까, 보는 눈들이 있으니까, 아니면 그냥 안전지대를 떠나기 싫으니까. 그저 그런 불륜 관계라면 이런 설득이 통할 수도 있지만, 트윈플레임에게는 통하지 않는다. 트윈플레임 사랑의 상대는 우리가 우리의 내면을 제대로 마주할 때까지 결코 포기하지 않기 때문이다. 우리가 이 만남, 이 감정, 정신을 잃게 만드는 매력에 눈뜨고 이를 인정할 때까지 우리의 트윈플레임은 결코 물러서지 않는다.

우리 영혼은 한번 집을 찾으면 결코 잊지 않는다

트윈플레임의 가장 큰 특징은 압도적인 육체적 매력과 폭발하는 성적 욕구다. 트윈플레임 상대에게는 매우 강렬한 육체적 매력이 느껴진다. 서로 비슷한 수준의 에너지를 공유하고 있는 데다, 거기서 오는 편안함 때문이다. 또 트윈플레임과의 섹스는 인생 최고의 순간을 경험했다고 말할 만큼 상상을 초월한다. 단지 깊은 사랑을 나누는 게 전부가 아니다. 서로 얼굴만 마주 봐도, 아니 심지어 주변에 있기만 해도 의식하지 못한 사이에 육체적인 반응이 일어날 만큼 강렬한 감정을 느낀다. 다른 연애에서는 전혀 경험하지 못한 감정이다.

캐런 역시 그녀의 트윈플레임을 만났을 때 결혼한 상태였다. 캐런은 트윈플레임이 자신의 성욕을 "깨워줬다"고 표현했다. 그녀는 그를 만나기 전까지 자신은 굉장히 성적이지 않은 사람이었다. 아마도 아이들을 낳고 아주 오랫동안 결혼 생활을 이어오다 보니 성욕이 사라진 것 같았다. (행복하지 않은 삶이 마치 정상인 척 스스로에게 거짓말하는 우리 모습은 얼마나 놀라운가.) 그러나 트윈플레임을 만나자 모든 게 달라졌다. 캐런은 그의 주변에 있었을 뿐인데 실제로 다리 사이에 전율을 느꼈다. "세상에, 정말로 무슨 느낌이 나더라니까요." 캐런은 자신이 성욕을 느꼈다는 사실에 말 그대로 충격을 받았다.

상대방의 외모나 됨됨이에서 비롯된 매력이 아니라 영혼이 영혼을 끌어당기며 발생하는 매력이다. 상대방에게 우리를 온전히 드러낸다는 느낌, 그리고 그가 우리를 온전히 받아들인다는 느낌. 이런 일이 가능하다는 생각을 포기한 지 한참되었을 때 눈앞에 나타난 누군가가 우리를 그냥 "이해하는", 설명할 수 없는 느낌이다.

트윈플레임에서 빼놓을 수 없는 또 한 가지는 섹스가 에너지 교환이라는 사실을 깨닫는다는 것이다. 상담하면서 트윈플레임을 만나기 전까지는 섹스가 무엇인지 전혀 모르고 산 것 같다고 말하는 여성을 여럿 봤다. 스테이시는 말했다. "그 사람과 섹스를 해보니 그동안 광고에서 봤던 게 무슨 말인지 알겠더라고요." 섹스는 영혼과 영혼이 깊이 만나는 것이기도 하지만, 상대에게 다차원적 매력을 느끼는 일이기도 하다.

그간의 경험을 보면 우리를 육체적으로 흥분시키는 사람과 우리를 영적, 정신적으로 흥분시키는 사람은 달랐다. 그러나 트윈플레임은 우리와 정신, 육체, 영혼이 연결되어 있기 때문에 모든 차원에서 매력을 발산한다. 트윈플레임을 보면 그저 옷을 벗겨 침대로 뛰어들고 싶은 마음만 드는 게 아니다. 이들과는 가까이 있고 싶고, 대화를 나누고 싶고, 그저 서로의 존재를 즐기며 조용히 함께 앉아 있고 싶어진다. 단순한 성적 끌림이 아니다. 내가 온전해지는 느낌, 완성되는 느낌이다. 그렇기 때문에 트윈플레임을 아무리 오랫동안 밀어내도 결국은 다시 서로에게 이끌리게 된다. 우리의 영혼은 한번 집을 찾으면 결코 잊어버리지 않는다.

서서히 타올라 모든 것을 물들인다

트윈플레임은 서로의 삶에 들어가야 할 순간을 늘 완벽하게 알고 있다. 결혼 생활이 끝날 무렵이든, 몇 년간의 자기 치유가 끝난 이후든, 혹시 불편하거나 받아들이기 어려운 시기라 할지라도 트윈플레임과의 만남은 언제나 일어나야 할 때 일어난다.

대부분의 일은 특별한 의미 없이 그냥 일어나지만, 우리는 인간이기 때문에 인생에서 일어나는 일을 통제하고 싶어 한다. (최소한 통제할 수 있다는 환상 속에서 살고 싶어 한다.) 트윈플레임 사랑의 경우, 초반에 너무 수월하기 때문에 이를 우리에게 더 편한 쪽으로 분류하는 경향이 있다. 먼저 그 사랑에 이름표를 붙이고 난 다음, 그에 맞게 앞으로 나아가려고 한다. 그 이름표에는 친구라고 쓰여 있는 경우도 있다. "우린 그냥 친구예요." 지금까지 이 말을 얼마나 많이 들었는지 모른다. 그러나 특별한 감정이 없다면 연애가 되지 않는 것처럼, 이렇게 강한 감정이 존재하는 한 언제까지나 이 관계를 두고 그저 우정인 척할 수는 없다.

딱히 어떤 사이라고 이름표를 붙이지 않으려 하기도 한다. 이전에 마음을 다쳤던 경험이 여러 번 있기 때문에 그냥 앞으로 어떻게 될지 지켜보려는 것이다. 그래서 우리는 이미 이 과정에서 5가지 요소를 만들어 나가고 있는 줄도 모른 채 섣불리 행동하는 대신 '친구'로 시작해서 관계가 어디로 가는지 지켜본다. 육체적 매력은 상대를 만난 그 순간부터 느끼지만, 당장 연애를 시작할 가능성은 거의 없다. 서로에게 감정이 없어서가 아니라 이번에는 굳이 억지로 연애를 시작할 필요가 없기 때문이다.

애니는 어느 토요일 아침에 조깅을 하다가 자신의 트윈플레임 로버트를 만났다. 그녀는 아주 자연스럽게 그에게 끌렸다. 처음 몇 번 대화를 나눴을 뿐인데 마치 몇 년 동안 알고 지낸 것처럼 그들은 만나자마자 서로를 알아봤다. 두 사람은 다음 주말에 함께 하이킹을 하러 갔다. 애니가 이렇게 말했던 게 기억난다. "그때도 꼭 사귀는 사이 같았어요. 내내 사귀고 있었던 것 같았지요."

첫 번째 데이트를 한 지 2년이 지난 지금까지도 이들은 여전히 매 순간 최대한 즐기고 있다. 나름대로 위기도 있었지만, 사랑하는 마음과 받아들이는 마음, 서로를 위하는 마음이 매우 강한 이들이 헤쳐 나갈 수 없는 일은 하나도 없었다. 이번에는 전혀 서두르지 않았다. 애니는 SNS에 연애 상태라는 것을 공개하지 않았고, 남자에게 둘이 무슨 사이인지 정확히 말해달라고 닦달하지도 않았다. 그저 상대방에게 많은 걸 물어보며 오랜 시간을 보냈다. 본질적으로 이 관계가 제 갈 길을 가도록 운명에 맡긴 채 내버려둔 것이다. 궁극적으로 이 단계는 사랑을 허락하고, 강렬한 만남을 경험하고, 그러면서 알게 되는 것들을 바탕으로 우리 자신을 돌아보는 과정이다.

트윈플레임과의 관계를 계속 유지하는 건 매우 중요하다. 그 시간이 우리가 지금까지 경험해온 개인적 성장의 총량을 반영하기 때문이다. 조금 더 시간을 갖고 싶더라도, 다른 사람이 우리를 완성시키도록 서두르고 싶지 않더라도 우리는 의식적으로 트윈플레임과 가까이 있으려고 선택해야 한다. 트윈플레임과의 관계를 받아들일 준비가 되어 있어야 한다.

우리 자신을 선택하기 전까지는 트윈플레임을 선택할 수도 없다. 그전까지 우리는 이 관계가 요구하는 여정에 제대로 전념할 수 없고, 상상도 하지 못한 방향으로 이끌려가는 여정을 신뢰할 수도 없다. 게다가 우리와 동일한 진동을 일으키는 트윈플레임은 우리 마음속 의심과 망설임까지 그대로 느끼기 때문에 이들의 사랑을 느낄 수도 없다. 트윈플레임과 함께한다는 건 단지 연애를 하는 문제가 아니라 인생을 살아가는 문제다.

당신은 사랑할 준비가 되어 있는가?

사랑할 준비가 되었다는 건 우리가 이번만큼은 달라질 준비가 되었다는 의미라고 할 수 있다. 아무리 많은 어려움이 기다리고 있더라도, 거리상 멀리 떨어져 있거나 기혼자이거나 다른 어떤 사회적 장애물이 앞을 가로막아 트윈플레임과의 사이를 갈라놓으려고 하더라도 트윈플레임이라면 결국 함께할 방법을 찾아낸다. 트윈플레임과 물리적으로 함께 있다 보면 나머지 세상은 모두 사라지는 것만 같다. 시간이 멈춘다. 그리고 얼마나 좋은지 말로 설명할 수 없는 감정을 느끼게 된다. 트윈플레임은 다양한 단계를 거친다. 첫 만남이나 첫 키스처럼 천지가 개벽하는 듯한 아름다운 순간도 있지만, 상대와 함께 있으면서 서로의 존재와 이 수월한 사랑을 즐기고 싶은 마음이 너무 커서 힘든 시간을 겪기도 한다.

트윈플레임 사이에는 언제나 거리가 발생한다. 물리적으로 거리가 발생하는 경우도 있으나, 두 사람이 사귀기에 앞서 치유해야 할 상처가 남아 있다는 사실을 알게 되는 경우도 있다. 그러나 이런 자각이 들면, 트윈플레임은 서로를 필요한 여정으로 이끌어준다. 건강하지 않은 행동이나 폭력을 통해서가 아니라 서로가 진정한 자기를 찾을 수 있도록 진심으로 돕고 싶은 마음을 바탕으로 이를 실현해 나간다.

이렇게 생기는 거리를 우리는 트윈플레임 관계의 쫓고 쫓기는 자의 단계라고 부른다. 이 단계에서는 트윈플레임의 어느 한쪽이 (주로 남성이) 두려움 때문에 여성을 버린다. 남자는 이 관계에 머무르더라도 여자를 무시하고, 그렇지 않으면 바람을 피워서 일부러 이 관계를 파괴하려 든다. 어느 쪽이든 남자는 (적어도 당분간은) 이 만남을 거부하려 한다. 이런 행동은 트윈플레임 관계가 카르마 사랑과 매우 유사하다는 걸 보여주는 예시이자, 반대로 카르마 사랑을 트윈플레임이라고 착각하며 낭만화하는 일이 얼마든지 가능하다는 걸 보여주는 하나의 예시다.

그러나 트윈플레임의 양쪽 모두 그동안 자신을 치유해왔기 때문에 이들은 결코 상대방을 완전히 버리지는 않는다. 아직 해야 할 일이 남아 있어서 아직 상대방에게 헌신하지 못할 수는 있다. 그렇더라도 금세 트윈플레임에게 다시 이끌리는 자신을 발견하게 된다.

사랑할 준비가 되어 있다는 것은 사랑의 단꿈만이 아니라 그 현실을 맞이할 준비가 되어 있다는 의미다. 아주 느닷없이 다가온 사랑이긴 하지만, 이 사랑을 현실로 만들려면 노력을 해야 한다. 트윈플레임은 당신이 의식적으로든 무의식적으로든 당신의 가치보다 못한 대우를 받게 내버려두거나 상대방의 자아도취적 행동을 받아들이도록 내버려두지 않는다. 그러나 여전히 우리를 시험에 들게 할 것이다. 그래서 당신의 마음속 상처를 훨씬 더 깊숙이 치유할 수 있도록.

마리아는 트윈플레임을 만난 지 얼마 되지 않았을 때 '이 사람이 진정 내 트윈플레임이라면 어째서 사랑이 수월하게 느껴지지 않는 걸까?' 하는 궁금증 때문에 나를 찾아왔다. 그녀는 상대방이 그녀의 행동을 문제 삼아서 상황을 더 곤란하게 만들고 있다며 혼란스러워했다. 그러나 되짚어보니, 사실 그녀의 연인 패트릭은 카르마 사랑을 끝마친 마리아의 상처를 깊이 어루만져주고 있었을 뿐이었다. 마리아에게 이것저것 질문하고 그녀에게 어떤 책임이 있는지 물으면서 마리아가 치유의 과정을 진행할 수 있도록 돕고 있었던 것이다.

실제로 그 사랑을 들여다보고 우리 삶이 어떻게 달라졌는지 정확히 이해하기 전까지는 그저 막연히 영원한 사랑을 맞이할 준비가 되었다고 착각하기 십상이다. 니컬러스 스파크스의 소설《노트북The Notebook》에 등장하는 문장들이 심금을 울리는 것은 바로 이 때문이다. 이 소설에서 노아는 앨리에게 이렇게 소리친다. "그래, 쉽지 않을 거야. 아주 어려울 거라고. 매일같이 애쓰면서 살아야 하겠지만, 그래도 난 그렇게 하고 싶어. 당신과 함께 있고 싶으니까. 당신의 모든 것과 함께하고 싶어, 영원히. 당신이랑 나, 매일매일 함께하고 싶다고." 이 소설에서 스파크스는 당시 파멸의 기회조차 갖지 못한 두 사람의 사랑을 묘사하지만, 이는 쉽게 다가온 사랑이라고 해서 다른 것들까지 모두 수월한 건 아니라는 사실을 보여준다. 사랑을 쟁취하려고 노력하기보다는 그저 사랑을 즐길 수 있는 상태가 되기 위해서는 더 많이 노력해야 한다는 사실. 어쩌면 이게 첫 번째 단계에서 배워야 할 가장 큰 교훈일 것이다.

2장. 현실
지금까지 우리는 진정한 사랑을 전혀 몰랐다

운명이라면 그 무엇도 막을 수 없다. 심지어 우리 자신도 막지 못한다. 아무리 냉소적인 사람이라도 사랑을 꿈꾼다. 단순히 "사랑해"라고 말하는 관계가 아니라 진정한 충족감을 주는 그런 관계, 우리 안에서 꿈틀대는 사랑의 희망에 다시금 불을 지펴주는 그런 관계를 꿈꾼다. 상대방의 눈을 들여다보면서 세상의 그 누구도 이 사람처럼 나를 사랑해줄 수 없다는 사실을 알 수 있는 관계, 그 누구도 이 사람처럼 우리 삶을 달라지게 할 수 없다는 사실을 분명히 알 수 있는 그런 관계를 꿈꾼다. 그 어떤 어려움도 극복하는 사랑, 우리가 희망을 버리려고 한참 노력해도 계속해서 존재를 드러내는 그런 사랑 말이다.

트윈플레임은 현실이다. 예측할 수도, 논리적으로 설명할 수도 없는 관계이지만, 그렇다고 이 사랑이 수월하기만 할 거라는 의미는 아니다. 이 사랑이 가져다줄 변화를 우리가 받아들일 준비가 되어 있다는 의미도 아니고, 이 사랑으로 달라질 인생을 우리가 받아들일 준비가 되어 있다는 의미도 아니다.

사랑이 당신을 찾아오게 하라

트윈플레임에 대해 얘기를 나눌 때 나는 언제나 이 만남을 각자의 영혼 수련과 성장 덕분에 자연스럽게 이어지는 관계라고 설명한다. 우리가 애초에 그 사람에게 끌린 건 비슷한 진동 때문이지만, 비록 일시적이라고 하더라도 반대 방향으로 달아나고 싶은 마음이 드는 것도 똑같은 이유에서다. 트윈플레임에 대해 우리가 알아야 할 가장 중요한 점은 지금까지 우리가 경험했던 그 어느 유형의 연애와도 비슷하지 않으리란 사실이다. 이 사랑에는 따라야 할 스케줄도, 규칙도, 보통의 연애에서 지키는 전통적인 이정표도 존재하지 않는다. 오로지 사랑을 위한 사랑만이 존재할 뿐이다.

트윈플레임의 궁극적인 목적은 우리의 의식을 깨워서 우리가 되어야 할 사람이 되도록 돕는 것이다. 그렇다. 이 만남은 놀라운 사랑을 즐기기 위한 것이기도 하지만, 이 만남 덕분에 우리가 성장하기도 한다. 트윈플레임을 처음 만나면 그 사랑이 완벽해 보일 수도 있다. 아무런 어려움이 없을 것 같고, 다툴 일도 전혀 생길 것 같지 않다. 또 너무나도 완벽하게 조화를 이루고 있는 것 같기에 서로 상처를 줄 일도, 갈라설 일도 없을 것만 같다.

초반에는 굳이 소리내 표현하지 않더라도 언제나 어디서나 사랑이 느껴진다. 그러나 아무리 대단한 사람 같아도 운명이 아니라면 우리가 더 이상 뭘 어떻게 할 수 없고, 또 하고 싶은 마음도 들지 않는다는 걸 우리는 앞선 경험을 통해 이미 배웠다. 그렇기 때문에 트윈플레임끼리는 아주 많은 시간을 함께 보내고 난 뒤에도 앞날을 고민하기보다 그저 주어진 하루하루를 충실히 행복하게 보내는 데 집중한다.

이 사랑은 당신이 사랑을 찾아 헤매는 걸 멈춘 덕분에, 그리고 마침내 사랑할 준비를 마친 덕분에 찾아온 사랑이다. 당신은 스스로에게 집중하기로, 그리고 있는 그대로의 삶을 즐기기로 결심했다. 애인이 없더라도 이미 인생이 충만하다고 느낀다. 그러나 마음은 열려 있기 때문에 사랑에 폐쇄적인 태도를 취하는 것과는 차원이 다르다. 지금 당장 옆에 남자가 없다는 이유만으로 스스로 매력 없는 여자라고 생각하지 않는다는 것이다.

카일라는 행복한 싱글이었다. 카르마 사랑의 상처를 치유했고, 아들의 아버지와 적당한 선을 지키고 있었으며, 스스로에 대해 더 깊이 알아가고 있는 중이라고 생각했다. 무엇보다 자신을 돌보는 일을 중요하게 여겼고, 사랑한다는 게 어떤 의미인지 시간을 들여 신중하게 생각했지만, 그렇다고 사랑하기 위해 애쓰지는 않았다. 그저 더 이상 자신의 상태에 초점을 맞추지 않기로 했던 것이다. 그녀가 기억하는 한 그녀는 항상 사랑하고 있거나 이별을 극복하는 중이거나 다른 남자를 만날 방법을 모색하고 있었다. 그래서 이번에는 사랑할 준비가 되었다고 느꼈지만 굳이 사랑에 연연하지 않을 작정이었다.

그런데 마크가 다가왔다. 두 사람은 과거에 가끔씩 일을 같이 했지만, 그날 그 회의가 있기 전까지는 특별한 불꽃같은 걸 전혀 느낀 적이 없었다. 그러다 느닷없이 서로 통하는 게 있다는 걸 깨닫게 되었다. 그렇지만 둘 다 아무것도 강요하지 않았다. 두 사람은 굉장히 멋진 관계를 유지하고 있다. 지금은 장거리 연애를 하는 중이다.

그러니까 카일라는 이미 사랑할 준비가 되었다고 생각하고 있으면서도 사랑이 자신을 찾아올 때까지 내버려뒀다. 두 사람은 여전히 헤쳐 나가야 할 문제들이 있다는 걸 알고 있다. 둘 다 적어도 같은 도시에서 살고 싶어 한다. 그러나 두 사람은 그 무엇도 강요하지 않고, 그 무엇도 서두르지 않는다. 이 관계가 어디로 흘러가든지 그저 그 과정을 즐기고 있을 뿐이다.

마음을 열고 이 사랑을 받아들여라

뭔가를 그저 바라는 것과 그걸 받기 위해 (마음을 열고) 두 팔을 활짝 벌리는 것은 전혀 다른 이야기다. 여태 기복이 극심한 카르마 사랑의 애정 공세에 익숙했던 터라 우리는 정말로 건강한 연애를 한다는 게 무슨 의미인지 알 수 없는 상태가 되어버렸다. 이제 우리는 사랑에 관한 개념을 재정립하고 역기능에 중독된 모습을 떨쳐내야 한다. 카르마 사랑에서 중요한 교훈을 얻어야 하는 것은 물론이고 이를 실행에 옮길 수 있어야 한다. 우리의 트윈플레임, 상대의 존재, 그리고 상대가 주는 안정감을 의식적으로 받아들일 수 있는 상태에 도달해야 한다.

이마니는 자신감이 넘쳤다. 국제 비즈니스를 경영하는 그녀는 자기 분야에서 뛰어난 자질을 발휘해 크게 성공했다. 한때 카르마 사랑에 빠져 상대방에게 버림받을까 봐 불안해한 적도 있지만, 이제 그 상처를 치유하고 마침내 새로운 연애를 할 준비가 되어 있었다. 트윈플레임을 찾아 나서야겠다는 생각은 없었지만, 자신의 가치에 걸맞은 대우를 해줄 남자를 만나고 싶었다. 이전까지는 한 번도 생각해본 적 없는 바람이었다. 이마니는 통화 상담을 하던 중에 지난 주 심심풀이로 한 남자를 만났다며 트레버 얘기를 꺼냈다.

그녀는 첫눈에 감정적으로, 영적으로 강렬하게 통했다는 사실을 인정하지 않으려 했지만, 이를 부정할 수도 없었다. 트레버에게 이렇게까지 이끌리는 자신의 모습에 솔직히 놀랐다고 했지만, 그와 이 과정을 함께한다는 데 매우 신나 있었다. 그러나 얼마 지나지 않아 걱정 가득한 목소리로 다시 전화를 걸어왔다. 다른 많은 여성들과 마찬가지로 이마니도 자신이 원하는 바를 인정하고 또 받는 일을 어려워했다. 상대방이 보여주는 따뜻한 관심과 감미로운 행동에 이마니는 어쩔 줄 몰라 했다. 무엇보다 혼란 없는 연애에 어떻게 대처해야 할지 몰랐다! 큰 사랑을 받아 행복하면서도 여전히 이 사랑을 어떻게 받아들여야 할지 모르고 있었던 것이다.

이마니와 트레버는 계속해서 천천히, 그러나 무엇보다 중요한 정직을 바탕으로 관계를 이어 나갔다. 나와 통화한 뒤, 이마니는 트레버에게 자신이 그동안 어떤 일을 겪었는지 솔직히 털어놓기로 했다. 꼭 필요한 일이었다. 이마니는 자신이 느끼는 저항감을 터놓고 얘기할 필요가 있었다. 그래서 그녀가 더 이상 혼자라고 느끼지 않도록, 그리고 상대방이 이마니가 겪고 있는 어려움을 이해할 수 있도록. 솔직하게 이야기하고 나자 이마니는 더 많은 것을 받을 준비가 되었다.

언제나 목적은 성장이다

트윈플레임을 만나기 전에 이미 많은 성장을 이루었지만, 여전히 이 사랑은 이전의 어떤 사랑보다 더 많은 것을 요구할 것이다. 투명하고 책임감 있는 선택, 이전의 패턴에서 벗어나는 선택을 하는 일이 항상 쉬운 것은 아니다! 트윈플레임과의 연애는 다양한 단계를 거친다. 첫 단계는 인식으로, 트윈플레임을 처음 만나면 아무리 노력해도 떨어질 수 없는 끈끈한 사랑을 경험하게 된다. 순식간에 서로에게 빠져들어 이제 상대방이 없는 삶을 상상할 수 없게 된다. 그런 다음에는 이때까지 늘 우리 곁에 있겠다고 약속했던 모두가 떠나기 때문에 갑자기 큰 두려움이 엄습한다.

'영원'을 약속했던 그동안의 사람은 인생의 폭풍을 견디지 못하고 덧없이 사라져버렸다. 물론 이는 거의 모든 사랑의 목적이 우리에게 교훈을 주기 위함이지 실제로 영원히 지속될 운명은 아니었기 때문이기도 하다. 그러나 트윈플레임의 강렬하고 짜릿한 사랑을 받을 때는 이런 생각까지 하기가 어렵다. 이제는 영원히 지속되면서 동시에 엄청난 성장을 위한 수단이 되어주는 사랑도 있다는 교훈을 얻을 차례다.

초반에 서로의 존재를 알아보고 만나는 단계에서 우리는 트윈플레임과 사랑을 키워 나갈 뿐만 아니라 영혼도 다시 하나가 되기 시작한다. 혼자서도 온전하다고 느껴서 그동안 반쪽에 대한 개념을 거부했지만, 트윈플레임을 만나 서로의 에너지가 교차하는 걸 느끼기 시작하면 우리는 그동안의 모든 경험이 이 순간을 위한 것이었다는 생각을 하지 않을 수 없게 된다.

이 과정은 우리에게 사랑이 영원할 수 있으며, 상처를 주지 않고도 우리를 성장하도록 도울 수 있다는 사실을 믿으라고 말한다. 우리는 성장이 언제나 눈물과 고통을 의미하지는 않는다는 사실을, 끊이지 않는 대화와 조건 없는 사랑을 의미하기도 한다는 사실을 배워야 한다. 이 사랑은 지금까지의 모든 사랑을 무의미하게 만든다. 이 사랑은 지난 사랑이 실패한 이유를 알려준다. 그러나 동시에 사랑에 대한 우리의 신념에 일일이 트집을 잡고, 우리가 편한 대로 움켜쥐고 있었던 모든 고정관념을 하나하나 풀어준다.

영원한 사랑이라고 해서 늘 아름다운 장면이 펼쳐지는 건 아니다. 우리가 듣고 싶어 하는 달콤한 말만 해주는 것도 아니다. 이 사랑은 자그마한 상자에 담기지 않을 만큼 크다. 그리고 어떠한 규칙에도 들어맞지 않는다. 오히려 이게 정말 사랑이긴 한 걸까 싶은 생각이 들 정도로 우리를 모든 차원에서 꾸준히 힘들게 한다. 우리를 또 한번 시험하는 것이다. 둘이 함께 있지 못하는 상황, 혼란스러운 상황, 실망하거나 슬픈 상황에서조차도 무조건적인 사랑이 여전히 현재한다는 사실을 우리가 받아들이도록 하기 위해서다.

에이바는 자신의 트윈플레임인 것 같은 키스에게 너무 의존하게 되는 것 같아 두렵다며 나를 찾아왔다. 소울메이트 사랑, 카르마 사랑을 모두 거친 그녀는 이제 정말 다르게 해보려고 매우 애쓰고 있었다. 키스는 처음부터 굉장했다. 인내심 있고, 관심과 사랑을 표현하는 데 아주 능숙했다. 에이바는 그와 한참 동안 드라이브를 즐기면서 그동안 다른 누구와도 나눠본 적 없는 내용의 대화를 나누기도 했다. 키스가 에이바의 신념에 대해 시시비비를 따지기도 했지만, 과거의 연인들처럼 에이바 스스로를 의심하게 만드는 식이 아니라 오히려 더 깊이 생각할 수 있도록 자극해주었다. 모든 상황이 너무 잘 풀려 나가자 오히려 에이바는 자신이 예전처럼 동반의존성이 짙은 패턴으로 빠져들고 있는 게 아닌지 걱정하기 시작했다. 에이바는 이별할 때마다 상대방을 잊지 못해 매우 힘들어했다. 그래서 키스를 사랑하지만, 그가 떠났을 때 자신이 전처럼 망가질까 봐 두려웠다. 실연의 상처에 산산조각 난 마음을 또 다시 추스를 자신이 없었다.

상담을 통해 에이바는 이 멋진 남자를 자신의 삶 속에 받아들이는 것도 중요하지만, 그의 질문이 당기는 방아쇠가 자신에게 좋은 역할을 하고 있음을 깨달았다. 에이바는 꾸준히 성장하면서 사랑이라는 관계 안에서 독립하는 방법을 찾아가고 있었다. 사랑하면서 두려움을 느낀다는 게 반드시 부정적인 게 아니라 오히려 성장을 촉진할 수도 있다는 사실을 알게 되자 그녀는 마침내 누군가를 필요로 해도 괜찮다는 교훈을 받아들였다. 트윈플레임과의 사랑은 우리를 자극하기만 하는 게 아니라 우리 자신과 상대방을 향한 조건 없는 사랑 안에서 우리의 성장을 돕는 역할도 한다.

트윈플레임 사랑의 시험, 의심과 두려움을 극복하라

우리는 더 이상 사랑을 낭만적으로 묘사하지 않겠다고 얘기한다. 완벽한 연애는 없다는 것을 이제는 안다고 말한다. 그러나 트윈플레임 사랑이 우리를 처음 시험하는 순간이 찾아오면, 그동안 우리가 안다고 생각했던 사랑에 대한 모든 것에 의문을 품게 된다. 트윈플레임 사랑의 두 번째 단계는 관계에 시험이 닥칠 때 찾아온다. 우리가 이 사랑의 가장 큰 걸림돌이 된 것 같을 때 찾아온다. 서로 사랑하지 않아서가 아니라 두려워서, 스스로에게 확신이 없어서, 우리가 이런 사랑을 받을 자격이 있는지 확신하지 못해서 그렇다. 결국 자기희생 없이 신뢰하는 법, 우리 자신의 감정과 내면의 소리를 신뢰하는 법을 익히게 될 테지만, 그전에 이런 사랑을 받을 자격이 있는지 모르겠다는 감정을 극복해야만 한다. 트윈플레임이라고 해서 결코 완벽할 리 없지만, 이 사랑은 언제나 가치 있다.

니키는 트윈플레임과 몇 년째 사귀고 헤어지길 반복했다. 트윈플레임과의 연애 단계를 거쳐갈수록 그녀는 자신의 모습을 더 많이 드러내야겠다고, 또 자신이 겪고 있는 일을 피하지 않아야겠다고 마음먹었다. 그렇게 니키는 트윈플레임을 사랑하면서 달라지는 자신의 모습을 있는 그대로 받아들였다. 니키의 트윈플레임은 니키를 많이 사랑했고 또 많이 노력했지만 자신이 부족하다는 느낌을 완전히 지울 수 없었다. 그가 받은 시험은 오로지 사랑에만 충실할 수 있도록 스스로 부족하다는 느낌, 죄책감 같은 감정을 극복하는 것이었다.

트윈플레임 연애에서는 어느 한쪽만 자신의 문제를 해결하려고 애쓰는 경우가 없다. 한 사람이 자아와 자신감 문제로 고심하고 있다면 다른 한 사람은 두려움, 취약함, 버림받는 두려움과 같은 문제로 씨름하고 있는 식이다. 니키는 자신의 트윈플레임이 떠날지도 모른다는 두려움을 이겨내야 했다. 그 과정에서 그녀가 내보내는 진동에는 두려움이 묻어났다. 용인할 수 없는 상대방의 행동도 그저 버림받을까 봐 두렵다는 이유로 그냥 참고 받아들였다. 몇 달간의 노력 끝에 니키와 트윈플레임은 서로가 느끼는 두려움을 점점 능숙하게 표현하게 되었고, 더욱 가까워지면서 상대방이 주고 싶어 하는 사랑을 그대로 받아들일 수 있게 되었다.

각자의 노력으로 치유해야 할 문제가 있다고 해서 어느 한 사람은 신성하고 다른 사람은 그렇지 않은 게 아니다. 트윈플레임과 연애할 때 우리는 먼저 자기애를 완벽히 실현해야 한다. 그래야만 이 사랑을 상대방에게까지 확장할 수 있기 때문이다. 이 과정에서 우리는 혼자 남는 게 더 이상 두렵지 않을 정도로 자신을 열정적으로 사랑해야 한다. 혹여 혼자 남겨지는 일이 생기더라도 겁을 먹을 게 아니라 상대에게 꺼지라고 소리칠 수 있도록 힘을 길러야 한다. 상처받거나 두려울 때도 솔직해야 한다. 중요한 문제를 나눠야 서로 더 가까워질 수 있다는 사실을 인식하고 의식적으로 얘기를 꺼내야 한다.

그 이유를 설명하려면 다시 진동에 관한 이야기로 거슬러 올라가야 한다. 트윈플레임은 비슷한 주파수 때문에 서로에게 이끌리는데, 각자 지닌 내면의 문제 때문에 주파수가 달라지거나 약해지면 이 관계에도 변화가 생긴다. 진동을 유지하기 위해서는 커뮤니케이션이 반드시 필요하다.

그러나 이런 어려움을 겪는 기간에도 사랑은 늘 존재한다. 심지어 그 어느 때보다 더 강렬할 수도 있다. 소울메이트에게 느꼈던 애정이나 카르마 사랑에게 느꼈던 집요함 같은 게 아니라 이전에는 한 번도 느껴본 적 없는 깊이 있는 사랑을 느낄 것이다. 두 사람은 서로 무슨 행동은 하든, 서로에게 무슨 일이 생기든 사랑이 변치 않으리라는 걸 인정하고 트윈플레임의 무조건적인 사랑을 받아들여야 한다. 상대방이 떠날 리 없으니 아무렇게나 행동해도 괜찮다는 의미가 아니다. 우리가 최악의 시기를 보내고 있을 때조차 한창 때와 똑같이 사랑받을 자격이 있다는 것을 서로 인정해야 한다는 것이다.

시험받는 단계가 쉽지는 않을 것이다. 그러나 이는 트윈플레임 사랑이 전통적인 관계는 아니더라도 매우 친밀하게 연결되어 있다는 의미이기도 하다. 이 단계에서 우리는 시험만 받는 게 아니다. 훗날 어떤 보상이 따라올지 눈에 보이기 시작하는 것도 이때부터다. 트윈플레임과 연애하는 자신의 모습이 마음속에 그려진다는 것부터가 보상의 시작이다.

트윈플레임 사랑은 우리가 과거의 사랑을 통해 성장한 것에 대한 보상이며 어떤 일을 겪어야 하든 포기하지 않고 지속적으로 이 과정을 행하고 있는 것에 대한 보상이다. 상처받거나 실망하거나 시험을 받으며 혼란스러운 순간에도 우리가 언제나 이 사랑으로 돌아올 수 있는 건 마음속 깊이 새겨져 있는 달콤함 덕분이다. 그동안 만나본 어느 누구와도 다른 방식으로 우리를 이해해준다는 느낌 덕분이다.

모든 걸 넘겨주고 신뢰하다

지금까지 우리는 연애를 하면서 모든 걸 내줄 기회가 없었다. 애인만이 아니라 관계 자체를 신뢰할 기회가 전혀 없었다. 그러나 이제는 무슨 일이든 일어날 운명이면 일어나게 되어 있으므로 억지로 밀고 당길 필요도, 수 싸움을 할 필요도 없다는 걸 정말로 믿기 시작한다. 사랑이 정말로 영원할 수 있다는 걸 믿기 시작한다.

이 만남의 마지막 단계는 모든 걸 넘겨주고 하나가 되는 것이다. 초반에 당겨지는 내면의 방아쇠, 우리 앞에 던져지는 시험을 거치고 나면 우리는 과거 그 어느 때보다 더욱 가까운 사이가 된다. 그러나 서두르지 않는다는 점에서, 이 사랑이 끝나고 상대가 내일 떠날지도 모른다는 걱정을 하지 않는다는 점에서 이전의 연애와는 다르다. 우리는 그저 이 관계에 모든 걸 넘겨주고 신뢰할 수 있게 된다.

각각의 단계가 얼마나 오래 지속되느냐고 묻는 사람들이 있다. 이를테면 첫 번째 단계에 1년이 걸렸다면 두 번째 단계는 한 6개월쯤 걸리느냐고 묻는 식이다. 사람들이 트윈플레임에 대해 가장 혼란스러워하는 게 바로 기간이다. 그러나 트윈플레임 관계는 기간이 정해져 있지 않고, 예상할 수도 없다. 트윈플레임 관계는 데이트, 동거, 약혼 같은 전통적인 연애의 이정표를 따르길 거부하고, 어떤 식으로도 시간을 측정하도록 허락하지 않는다. 이는 세월이 흘러도 변치 않는 사랑이기 때문에 그렇다.

많은 사람이 만약 애인이 6개월 안에 미래를 약속하지 않으면 헤어지라고 말한다. 친구들은 연애에 관한 밈과 기사들을 우리에게 쉴 새 없이 쏟아붓는다. 우리와 함께 시간을 보내고 싶은 남자라면 어떻게든 시간을 낼 것이고, 그렇지 않은 남자들은 어장 관리하듯 우리를 관리하다가 심심할 때 우리를 불러내는 것뿐이라는 내용들이다. 물론 이런 연애도 있겠지만, 트윈플레임과의 연애에는 이런 내용을 전혀 적용할 수 없다. 다른 연인들도 운명이 정해준 영혼의 만남이긴 하지만, 트윈플레임은 아주 오래전에 본래 하나였다가 둘로 쪼개졌던 영혼이 다시 결합하는 사랑이다.

시간을 설명하는 데는 두 가지 방법이 있다. 먼저 연대순으로 설명하는 크로노스Chronos는 우리가 일상생활에서 사용하는 방식으로 1분, 1시간, 1일, 1주일, 1개월, 1년의 단위로 시간을 측정한다. 그러나 트윈플레임과의 시간은 이렇게 흘러가지 않는다. 대신 카이로스Kairos에 따라 움직이다. 카이로스란 신성한 시간으로, 모든 일이 의도된 때 일어난다는 믿음에 기반한다. 우리가 이번 주에 몇 번인지도 모를 만큼 지각한 이유를 상사에게 설명할 때는 카이로스를 쓸 수 없지만, 트윈플레임 연애에서만큼은 카이로스가 훨씬 더 적절하다.

트윈플레임의 여정을 이야기한다는 건 트윈플레임과의 관계에서 자아가 하는 역할에 대해 이야기한다는 것이기도 하다. 우리는 자아를 완전히 무시하거나 나쁜 것이라고 말할 수 없다. 우리가 존재하기 때문에 자아도 존재한다. 우리가 스스로 어떤 사람이라고 생각하는지, 이 세상에서 어떤 역할을 하고 있는지, 우리가 남들에게 어떤 대우를 받아야 하는지 생각하기 위해서는 반드시 자아가 필요하다. 자신감과 자아는 밀접하게 묶여 있다. 하나가 다른 하나를 대체하는 경우도 있으나, 이상적인 상황은 이 둘이 경쟁하거나 과시하거나 스스로를 경시하지 않고 서로 협력하는 것이다. 우리가 자신의 가치를 잘 알면서 동시에 다른 사람보다 더 낫다고 생각하지 않으려면 자신감과 자아가 균형 있는 상태여야 한다. 건강하게 균형 잡힌 상태라면 우리가 어떤 대우를 받아야 하는지, 그리고 이 세상이 우리에게 어떤 대우를 받아야 하는지를 동시에 알게 된다.

이 시기에 트윈플레임이 받는 시험은 전혀 하찮지 않다. 단순히 카르마 사랑에서 벗어났는지 확인하려는 목적도 아니다. 트윈플레임은 우리의 자아가 건강하게 발달하는 데 깊이 관여한다. 소울메이트 사랑, 카르마 사랑을 할 때 우리는 서로 엉망진창인 상태에 매력을 느끼고 연애를 했다. 그러나 트윈플레임과의 연애는 이런 식으로 진행되지 않는다. 상처를 치유하고 성장해서 진심으로 영원을 약속할 수 있을 때에야 비로소 우리는 트윈플레임과의 사랑을 시작할 수 있다.

우리는 영원한 사랑이 전통적인 연애와 동일하지 않다는 사실을 자주 잊어버린다. 트윈플레임과 동거를 시작하기 훨씬 전에, 어떤 식으로든 미래를 약속하기 훨씬 전에 이 사랑이 영원한 사랑이라는 걸 느낄 수 있을 것이다. 그리고 서로를 영원한 부부로 공표하는 건 반짝이는 다이아몬드나 서류 한 장이 아니라 아무리 애써도 지울 수 없는 감정이라는 걸 마침내 알게 될 것이다. 이는 어떤 역경이 찾아와도 결코 사라지지 않는 사랑이다. 그리고 바로 이런 마법이 트윈플레임을 서로 진정한 모습으로 만든다. 크게 상처받을 수 있다는 가능성이 이 사랑을 이토록 대단하게 만든다.

스텔라는 사랑 자체를 사랑했으며, 사랑을 전혀 의심하지 않았다. 나와 몇 년 동안이나 상담했는데, 가장 힘든 시기를 보내고 있을 때조차 이렇게 말할 정도였다. "그렇지만 저는 여전히 믿어요. 영원한 사랑이 존재한다는 건 물론이고, 내 운명의 상대가 있다는 것도요." 헤아릴 수도 없을 만큼 여러 번 실연의 상처를 받았지만, 그러고도 스텔라는 언제나 바로 일어났고 곧 트윈플레임을 만날 수 있으리라 믿었다. 그랬기 때문에 마침내 트윈플레임을 만났을 때 더 이상 사랑을 원하지 않는다는 스텔라의 말에 나는 깜짝 놀랄 수밖에 없었다.

어느 해 여름, 스텔라는 앤서니를 만났다. 트윈플레임과의 사랑이 때때로 그러하듯이 상황은 매우 빠르게 진척됐다. 두 사람은 금세 솔직한 대화를 나눴고, 심지어 가을이 되면 함께 해외여행을 떠나자고 계획까지 세웠다. 둘은 만나자마자 쿵짝이 아주 잘 맞았다. 스텔라는 앤서니가 "그녀의 바닷가재"라는 걸 확신할 수 있었다. 바닷가재는 한번 짝을 맺으면 한평생 함께한다는 이유로 스텔라는 그를 이렇게 불렀다.

그러던 중 앤서니가 업무 때문에 갑작스럽게 6개월간 멀리 떠나게 되자 스텔라는 흔들리기 시작했다. 스텔라가 울면서 했던 말이 생생하다. "끝났어요. 이제 다 끝이에요. 사랑할 땐 정말 좋았는데, 못 하겠어요. 안 할 거예요." 낭만적인 사랑만을 추구한 그녀로선 장거리 연애를 한다는 걸 상상할 수 없었다. 그러나 경험하고 싶지 않은 일이 닥친다고 해서 운명이 아니라는 의미는 아니라는 걸 알아야 한다. 스텔라와 나는 그날 밤 서로를 신뢰하는 일에 대해 세세하게 대화를 나눴다. "한번 해봐서 안 좋을 게 뭐 있을까요? 앤서니는 할 수 있을 거라고 말하니까 그를 믿어보는 건 어때요? 당신이 상처받을 거라고 아주 확고하게 믿고 있다면, 그게 오늘 밤이든 6개월 이후든 무슨 큰 차이가 있겠어요?" 그녀는 내 말에 하릴없이 고개를 끄덕이며 상황이 어떻게 흘러갈지 지켜보기로 했다. 그러는 과정에 최선을 다해 앤서니를 믿어보기로 했다. 물론 쉬운 일은 아니었다. 두 손 두 발 다 들며 포기하고 싶은 순간이 한두 번 아니었지만, 그녀는 끝내 포기하지 않았다.

얼마 전 두 사람은 사귄 지 2주년 되는 날을 기념했다. 두 사람은 생각했던 것보다 훨씬 더 행복하고 만족스럽게 만남을 유지하고 있다. 두 사람 모두 모든 것을 내려놓고 신뢰하기란 한 번으로 끝나는 일이 아니라 관계를 유지하는 내내 지속적으로 실천해야 하는 일이라는 걸 깨달았다. 그렇게 하면 더욱 강한 유대감을 나눌 수 있을 뿐만 아니라 무슨 일이 일어날지 모르는 미래를 더욱 평화롭게 맞이하는 게 가능하다.

사랑의 여정을 걷다 보면, 우리는 사랑하는 마음이 클수록 상처받을 가능성도 커진다는 사실을 깨닫는다. 우리를 굴복시킬 능력이 없는 사랑이라면 그 사랑에서 일평생 유일한 사랑이라는 대단한 보상을 느낄 수도 없을 것이기 때문이다. 이 사랑은 매우 특별하지만, 그 안에 머무르면서 이를 유지하려면 우리는 아무리 어려운 일이라도 해내겠다고 마음을 굳게 먹어야 한다. 이 사랑이 모든 장애물을 극복하는 사랑, 그 무엇도 방해할 수 없는 사랑인 것은 트윈플레임으로부터 벗어나려는 노력이 사실 우리 자신으로부터 벗어나려고 하는 노력이기 때문이다. 이번에는 믿어도 괜찮다. 이번만큼은 사랑을 위해 마음의 벽을 허물어도 안전하다.

3장. 교훈
진짜라면 끝나지 않는다

사랑은 오랫동안 숱한 어려움과 방해, 심지어 상처까지 준 뒤에야 진면목을 드러낸다. 만난 지 몇 달 또는 1년쯤 지난 후에 "당신을 영원히 사랑할게"라고 약속하는 건 쉽지만, 논리적으로 생각해도 마음의 문을 걸어 잠그고 열쇠를 집어 던져버려야 할 것 같은 순간에도 이 약속을 실천한다는 건 전혀 다른 문제다. 진짜 사랑이라면 결코 끝나지 않고, 결코 흔들리지 않는다. 그리고 당연히 실패하지도 않는다. 그러나 사랑이 실패하지 않는다고 해서 우리 인간도 실패하지 않는다는 의미는 아니다.

트윈플레임은 굉장할 뿐만 아니라 사라지지도 않는다. 우리는 그동안 수없이 많은 상처를 받으면서 이를 깨달았다. 깨달음을 얻는 시간을 단축할 수 있는 지름길 따위는 없다. 아무리 여러 날 운수가 사납더라도, 아무리 심각한 자기 파괴 상태에 빠져 있더라도, 아무리 깊이 의심하더라도, 사랑은 결코 포기하지 않는다. 이 사랑, 이 사람이 아무 데도 가지 않으리라는 걸 우리에게 일깨워주고 우리의 마음을 따뜻하게 해주는 것은 바로 이 트윈플레임 사랑이다.

지금까지 우리는 사랑이 우리가 기대했던 것처럼 예쁘게 포장되어 다가오지 않고, 우리 또는 가족이 바라던 이상형의 모습과 일치하지 않으며, 연애를 유지하기 위해 우리 자신을 포기하라고 강요하는 일이 결코 없다는 것을, 그러나 분명 우리를 찾아온다는 것을 배웠다. 그 어떤 것도 트윈플레임을 망가뜨리거나 우리에게서 앗아갈 수 없기 때문에 우리는 이를 영원한 사랑이라고 부른다. 사랑은 항상 존재한다. 이를 이해하기 위해 먼 길을 돌아가야 하는 건 우리 자신뿐이다.

트윈플레임 사랑의 현실 단계에서는 서로 상처를 주고받는다. 다른 사랑과 차이가 있다면 트윈플레임은 어디에 칼을 꽂아야 할지 정확히 알고 있다는 것이다. 트윈플레임은 어느 상처에서 피가 흘러야 우리가 성장하는 데 도움이 될지 알고 있다. 그들은 우리가 원하지 않을 때조차도 우리의 거울이 되어준다. 사랑이라는 게 우리가 생각하는 것보다 훨씬 더 위대하다는 생각을 하게 되는 것도 바로 이때부터다.

사랑은 마법 같다. 우리가 가장 가까이 다가가본 진정한 마법이 아마 사랑일 것이다. 그러나 불꽃 튀는 감정을 느꼈다고 해서 앞으로 사랑이라는 진창에 빠져 추잡해질 일이 전혀 없으리란 의미는 아니다. 사랑이 마법 같을 수 있는 건 우리가 그만큼 애를 썼기 때문이다. 우리가 스스로 상처를 치유해냈고, 자기 자신에 대해, 그리고 사랑에 대해 진실이라고 믿는 모든 것을 현실로 이끌어냈기 때문에 마침내 사랑이 마법 같아진 것이다. 마법 같은 사랑이란 결국 우리가 어떤 사람인지, 헌신이 무엇인지, 사랑이 우리에게 어떤 의미인지에 관한 우리의 믿음이다.

우리만의 '영원'을 정의하기

그냥 느낌이 오는 대로 행동해야 할 때가 있다. 어떤 교육을 얼마나 받았든 간에 대다수는 이 시점에도 여전히 전통적인 의미의 사랑을 꿈꿀 것이다. '영원'이라는 단어를 들으면 여전히 순백의 드레스, 결혼반지, 노을이 깔린 야외 결혼식을 생각한다. 이름이 수놓인 수건과 부부용 세면대를 떠올린다. 이 모든 일을 겪고 난 뒤에도, 우리의 트윈플레임인 이 사람이 아무 데도 가지 않으리란 걸 알면서도 우리는 어쩔 수 없이 영원한 사랑이라는 전통적인 개념에 다시 빠져들기 시작한다.

트윈플레임이 주는 교훈은 영원한 사랑의 개념을 버리라는 것이다. 이 사랑의 목적은 관습에 얽매인 생각을 버리게 하고, 두 영혼의 반짝이는 관계를 사랑 그 자체로 바라보게 만드는 것이다. 이렇게 할 수 있어야만 우리는 비로소 사랑이란 게 반드시 상상했던 대로 펼쳐지지는 않는다는 사실을 깨닫게 된다.

사회는 전통적인 방식의 사랑 표현, 인생의 동반자 또는 행복을 찾기 위해 스스로를 밀어 넣어야 했던 천편일률적인 사랑으로부터 점점 더 멀어지고 있다. 그러나 이게 쉬운 일은 아니다. 꿈 같은 결혼식 사진이 끊임없이 쏟아져 나오기 때문이다. 우리의 머릿속은 영원한 사랑이 곧 전통적인 사랑을 의미한다고 정밀하게 프로그램화되어 있기 때문이다. 사회에서 요구하는 조건에 맞는 사람을 선택하지 않기로 마음먹었다면, 이제 자신에게 영원이 어떤 의미인지 살펴봐야 할 때다. 트윈플레임은 문화적 규범 따위를 전혀 신경 쓰지 않는다.

내가 클라우디아와 레이를 만난 건 두 사람이 만나고 서로 트윈플레임이란 걸 알고 난 뒤, 다음 단계를 고민하고 있을 때였다. 인생의 말년에 만난 두 사람은 힘을 모아 버몬트에 전인교육을 추구하는 학교를 설립했다. 학교 일은 서로의 가족을 결합시키는 일이기도 했고, 이들이 소명이라고 생각하는 일이기도 했다. 두 사람은 학교 일을 통해 이들의 사랑을 세상과 나누었다.

두 사람은 이 만남을 어떻게 정의해서 어디로 이끌어 나가야 할지 고민하고 있었다. 두 사람 다 어디로 결혼한 경험이 있었고, 다시는 전통적인 의식을 치르고 싶지 않았지만, 그렇다고 아무것도 안 하자니 그 또한 아닌 것 같았다. 지금까지의 여정과 과정을 특별한 방식으로, 이들에게 맞는 방식으로 기념하고 싶었다. 나와 몇 달 동안 대화를 나눈 끝에 두 사람은 특별한 결혼식을 기획했다. 서로의 자녀들과 '결혼'하겠다는 계획이었다.

결혼식은 늦은 여름 언덕 위에서 진행됐다. 클라우디아는 보랏빛 드레스를 입었고, 자녀들은 두 사람에게 이제 두 가정이 하나가 되었으니 두 사람이 앞으로 서로를 사랑함은 물론이고 서로의 자녀들도 사랑하기로 서약하겠느냐고 물었다. 근본적으로 영원을 보장하는 건 서류 한 장이 아니다. 결혼반지도 아니고, 매일 아침 같은 침대에서 눈을 뜨는 것도 아니다. 영원한 사랑을 대신할 수 있는 것은 없다. 세상에는 수많은 사람이 있지만 평생 함께하고 싶은 사람(또는 없어서는 안 될 사람)은 단 한 사람뿐이기 때문이다. 생각해보면 참 무서운 말이다. 특히 상대방이 "나는 당신 없이 살 수 없어"라는 말을 아무렇지도 않게 내뱉을 때는 더욱 그렇다. "살 수 없어"라는 말을 "평생 함께하고 싶어"라고 바꾸면 어떨까? 우리가 서로 함께 있을 때 더 나은 존재가 된다는 것뿐만 아니라 우리의 삶도 더 나아진다는 것을 깨닫는다면 어떨까?

우리 모두는 누군가가 필요하다

누군가와 진정 함께하고 싶다는 마음을 인정하는 일은 우리가 누구인지 이해하는 일일 뿐만 아니라 내가 연애 상대에게 무엇을 바라고 있는지 이해하는 일이기도 하다. 그러나 이를 깨달으려면 그전에 우리에게 닥치는 모든 일을 헤쳐 나가야만 한다.

정말로 상처받기 이전에 경험했던 소울메이트 사랑 이후로 우리는 "당신이 필요해"라고 말하길 두려워하게 된다. 특별한 사람이 우리 곁에 있을 때 더 행복하다고 생각하기를, 그리고 그것을 말하기를 주저한다. "보고 싶어. 못 본 지 너무 오래 됐다"라고 말하기를 꺼리게 된다. 우리 앞에 닥친 삶의 모습으로 인해 두려움이 엄습하기 때문이다. 우리는 수치스럽게 "애정에 굶주린" 여자 또는 남자로 보이고 싶어 하지 않는다. 그러면서 아무도 필요하지 않다는 말이 자연스럽게 최근의 유행어로 자리 잡은 것만 같다. 그래서 우리는 "네가 필요하진 않지만, 너를 원해"처럼 실제 마음에서 완전히 벗어난 말을 뱉어버린다.

이 사랑이 영원한 사랑이라는 것을 정말로 이해하려면, 이 사람이 아무 데도 가지 않는다는 것을 받아들이려면, 우리에게 상대가 필요하다는 사실을 애인에게 반드시 인정해야 한다. 그리고 이를 약점이 아니라 자각으로 바라봐야 한다. 무엇보다도 우리는 다른 사람을 필요로 하는 게 우리가 부족하다는 의미가 아니라는 사실을 이해해야 한다.

누군가를 필요로 한다는 것은, 그가 과거의 어느 누구와도 달리 우리 삶에서 무언가를 성취했다는 것을 의미한다. 누군가를 필요로 한다는 것은, 그가 과거의 어느 누구와도 달리 우리에게 긍정적인 영향을 가져다주었다는 것을 의미한다. 긍정적인 영향이란 어쩌면 우리 생활을 돕는 것처럼 현실적인 것일 수도 있다. 그러나 트윈플레임의 관점에서 보자면, 이는 이전에 한 번도 경험하지 못했던 이해를 제공한다는 것을 의미하기도 한다. 우리가 중심을 잃지 않도록 도와준다는 느낌일 수도 있고, 우리가 가야 할 길에서 벗어나지 않도록 지켜준다는 느낌일 수도 있으며, 어떤 면에서는 우리를 더욱 우리다운 모습으로 지켜준다는 느낌일 수도 있다.

이러한 이유 때문에 우리가 현실의 단계에서 시험받고 상처받아야 하는 것이다. 우리 자신도 모르는 사이에 다가와 평생 떠나지 않는, 진귀한 세 번째 사랑이 존재하긴 하지만, 그가 우리 삶에 무엇을 가져다주는지 알기 전까지는 아무도 곁에 두어서는 안 된다. 먼저 누군가를 필요로 한다는 사실을 이해하고 인정하지 않는다면 우리는 그 어떤 연애 관계에도 헌신할 수 없다.

우리는 홀로 우리 자신을 돌보며 살아가기 위해 태어나지 않았다. 험난한 세상에서 살아남아 성장하기 위해서는 신체적으로나 정서적으로나 우리를 돌봐줄 부모 또는 다른 어른들이 필요하다. 대화하고, 공감하고, 의지할 사람이 있다고 느끼기 위해서는 친구, 형제자매, 또는 동료들이 필요하다. 경제적 안정을 지킬 수 있도록 우리의 직장이나 사업체를 유지하기 위해서는 고용주나 고객이 필요하다. 인생을 완전히 홀로 보낼 운명으로 태어난 사람은 단 한 명도 없다. 가끔 이게 선택 사항이 될 수 있는 것처럼 보인다고 하더라도 우리에게는 분명 다른 사람이 필요하다.

그러나 이 모든 이유에도 불구하고 연인에게 그가 필요하다고 말하기란 여전히 두려운 일이다. 나도 겪어봐서 잘 안다. 그토록 많은 실연의 아픔을 겪은 이후 나는 누군가가 필요하다고 말하고 싶지 않아져 '극도로 독립적인 여전사'의 갑옷으로 무장했다. 연애할 때 "당신이 필요한 건 아니지만, 당신을 원해"라고 먼저 말하는 쪽은 언제나 나였다. 그러다 어느 순간, 그 말의 참 의미가 무엇인지 생각하기 시작했고, 내가 스스로에게 정말로 솔직한지 궁금해졌다. 이렇게 된 것은 관점이 달라졌기 때문이기도 했다. 몇십 년 전까지만 해도 여자는 재정적인 이유로 남자가 필요했으나, 이런 분위기는 매우 빠르게 변화했다. 이제 더 이상 전통적인 의미에서의 지원이 필요하지 않기 때문에 동반자가 필요하다는 의미 또한 바뀌고 있다.

내 경우에는 내가 살 수 없는 것, 나 자신에게 제공할 수 없는 것의 문제로 귀결됐다. 다음 휴가비를 내줄 남자가 필요한가? 아니다. 하루의 끝에 나를 꼭 안아줄 남자가 필요한가? 그렇다. 내 꿈을 응원하고 날 지켜줄 남자가 필요한가? 그렇다. 결국 나는 여전히 독립적이고 멋진 여전사가 될 수 있지만, 내 삶을 함께 나눌 남자도 필요하다는 사실을 깨달았다. 우리가 남자에게 의존한다는 말로 들릴 수도 있으나 이는 상대가 우리 삶에 가져다주는 가치를 인정해야 한다는 의미일 뿐이다. 우리 자신의 행복과 자아의식에 대한 책임은 오롯이 우리 자신에게 있지만, 그와 함께 있을 때 우리가 더 밝은 존재가 된다는 사실을 받아들여야 한다.

애인이 필요하다고, 트윈플레임이 필요하다고 말한다는 건 "그래, 나는 대단한 사람이고 내 인생도 훌륭하지만, 당신과 함께하면 나도 내 인생도 훨씬 더 좋아질 것 같아"라고 말하는 것이다. "그래, 나도 너처럼 온전해. 그렇지만 함께 있으면 우리는 따로 있을 때보다, 우리를 이해하지 못하고 영감을 주지 못하는 사람과 함께 있을 때보다 더 강하고 더 행복하고 더 만족스러워질 거야"라고 말하는 것이다.

누군가를 필요로 해도 괜찮다. 우리가 연인, 트윈플레임을 원하고 또 필요로 해도 괜찮다. 그렇다고 해서 우리가 약해지는 게 아니며, 그렇다고 해서 우리가 유치해지는 게 아니다. 우리가 연인을 필요로 하지 않는다면, 애초에 그들이 우리 삶에 존재하는 이유가 무엇이겠는가? 세상에는 수십억 명의 사람이 살고 있지만, 그중에 우리가 만날 수 있는 사람은 얼마되지 않는다. 이전에 알았던 두 영혼이 만나 일으키는 반응을 느끼게 하는 그런 사람 말이다. 사람은 대체할 수 있는 존재가 아니다. 그러므로 어떤 이유에서든 우리 삶에 필요하다고 느끼는 누군가를 만났다면, 아주 좋은 일이다.

어느 한 사랑보다 더 나은 사랑은 없다

모든 것은 돌고 돌며 과거와 연결되어 있다. 우리는 상처받기 전까지, 누군가가 필요하다고 인정하기 전까지, 우리 개인의 가치를 파악하기 전까지, 그리고 배우자나 남자친구의 역할에 아무나 끼워 맞춰서는 그만큼 만족스럽고 의미 있는 관계를 만들 수 없다는 사실을 배우기 전까지는 영원한 사랑을 이해할 수 없다. 우리가 연애하면서 자주 하게 되는 한 가지 오해는 바로 한 사랑을 다른 사랑보다 '더 낫다'고 여기는 것이다. 소울메이트와의 사랑도 좋았지만, 트윈플레임과의 사랑이 최고라고 말한다. 불과 몇 달밖에 지속되지 않은 사랑보다 영원히 지속되는 사랑이 왠지 더 좋다고 생각한다. 진실은, 다른 사랑보다 더 나은 사랑은 존재하지 않는다는 것이다. 사랑은 그런 식으로 측량할 수 없다.

우리는 "정말 많이 사랑해"라고 말한다. '많이'라는 말은 양의 의미를 포함하는데, 우리가 느끼는 사랑의 양을 측정할수 있는 방법은 없다. 우리가 어떤 사랑을 다른 사랑보다 더 낫다고 말하는 것은 우리가 더 만족하고, 더 행복하고, 더 성공적이고, 더 평화롭고, 심지어 더 멋진 섹스를 하고 있다는 말을 그냥 단순하게 표현한 것에 불과하다. 그러나 그 어떤 말에도 한 사랑이 다른 사랑보다 더 낫다는 의미가 들어 있지는 않다. 그리고 당연히 한 연인이 다른 연인보다 더 낫다는 의미도 아니다.

트윈플레임은 스스로를 더욱 잘 알아가도록 서로 가르쳐줘야 한다. 우리는 서로가 더 나은 모습을 찾을 수 있도록, 자기 자신의 욕구와 욕망에 대해 더 잘 알고, 더 잘 인식하고, 솔직해질 수 있도록 서로 일깨워줘야 한다. 그러므로 우리가 최고의 사랑을 찾은 것 같다고 얘기하는 것은 사실 우리가 진정한 자기를 찾은 것 같다고 얘기하는 것이나 마찬가지다. 이전에는 생각조차 해 본 적 없는 모습이더라도 최고로 잘 맞는다는 느낌이 드는 그런 사랑을 찾았다는 것이다. 이것이 내게 영감을 주는 사랑이고, 내가 성장하고 나 자신에게 솔직해지도록 자극을 주는 사랑이다. 이것이 내가 늘 해왔던 과거의 형편 없는 짓으로 하루하루를 때우지 못하게 만드는 사랑이다. 내가 더 잘하고 싶도록, 더 나은 사람이 되고 싶어지도록 만드는 사랑이다. 그래서 우리는 사실 우리가 더 나은 사람이 되도록 도와주는 사랑을 할 때 이 사랑이 다른 사랑보다 더 낫다고 믿기 시작하는 것이다.

진정한 자기를 찾았다는 느낌이 들 때 우리는 안갯속에서 깨어난 느낌, 한계가 있는 패턴에 갇혀 있다가 깨어난 듯한 느낌을 받는다. 우리는 사랑을, 세상을, 무엇보다 우리 자신을 더욱 명확하게 보기 시작한다. 진정한 자기에 눈뜬다는 것은 그동안 우리를 한자리에 붙잡아두고 꼼짝하지 못하게 짓눌렀던 사람들의 낡은 생각이 갑자기 우리 눈에 환하게 보이는 것과 같다. 그동안 우리는 우리의 존재, 가치, 능력, 사랑을 가로막는 벽을 쌓아왔다. 그렇게 할 수밖에 없었던 것은 우리가 타인의 눈을 통해서만 우리 자신을 바라보고 있었기 때문이다.

트윈플레임은 매우 특별하다. 우리가 마침내 우리 자신, 우리의 대단함, 그리고 계속해서 성장해 나가야 할 영역을 진정으로 볼 수 있게 만들어주기 때문이다. 부모님 친구들, 사회의 눈으로 바라보는 게 아니라 마침내 우리 자신의 눈으로 우리의 본질을, 타인의 신념이나 의심을 받아들이기 이전에 우리가 타고났던 모습 그대로를 보게 해준다.

소피아가 내게 연락했을 때 그녀는 모든 단계의 사랑을 겪은 뒤 트윈플레임인 펠리페를 만나 함께 살고 있었다. 그녀는 사랑의 여정을 걷는 게 무슨 의미인지 고민해왔고, 이에 대해 더 명확한 설명을 듣고 싶어 했다. 펠리페와의 관계를 어떤 방향으로 이끌어가야 할지 알고 싶어서였다. 상담을 시작했을 때 소피아는 그녀의 첫사랑인 소울메이트에 대해 얘기하면서 좋은 남자였지만 관계가 꽤 안 좋게 끝났다고 말했고, 두 번째 사랑인 카르마 사랑은 그냥 끔찍했다고 표현했다. 나는 그녀에게 이전의 관계를 얘기할 때 무엇 때문에 부정적인 형용사를 사용하게 되었느냐고 물었다. 그녀는 그 연애 자체가 즐겁지 않았기 때문이라고 대답했다. 나는 다시 물었다. “정말 펠리페가 더 ‘나은’ 사람이라는 뜻일까요? 아니면 더 건강하고 더 잘 맞는 사람이라는 뜻일까요?”

나는 그녀에게 자연의 모든 것, 세상의 모든 것은 긍정적인 면과 부정적인 면을 모두 갖추고 있어서 균형을 이루는데, 다만 우리가 어떻게 보고 싶으냐에 따라 좋거나 나쁘다고 말할 뿐이라고 설명했다. 그러고 나서 이렇게 물었다. "소울메이트 사랑이나 카르마 사랑을 할 때 모든 게 나쁘기만 했나요? 그 사람들과 함께 보낸 즐거운 시간이나 좋았던 추억은 전혀 없어요?" 그러자 그녀가 대답했다. "물론 그렇진 않죠." 그래서 나는 펠리페와의 관계가 반드시 더 낫다고 할 수 없으며, 사랑을 경험하는 그녀의 방식이 달라져서 그렇게 느껴지는 것일 뿐이라고 알려줬다.

어느 한 사랑보다 더 우월한 사랑은 없음을, 딱 세 번의 사랑이었든 아니면 상대의 이름을 다 외우지도 못할 만큼 여러 번의 사랑을 거쳤든 간에 모든 사랑은 일어나야 할 운명이었음을 언젠가는 이해하게 된다. 그동안 겪었던 다양한 삶의 경험 덕분에 우리가 어떤 사람인지 알게 된 것이다. 그중에서도 우리의 트윈 플레임이자 영원한 사랑이야말로 우리가 진정한 자신을 찾을 수 있도록 영감을 주고, 우리가 치유될 수 있도록 도와주고, 또 우리에게 진정한 사랑이란 어떤 것인지를 보여주는 상대다. 이 만남은 우리가 본질로 돌아갈 수 있게끔 우리 안에 남아 있는 장벽이나 잘못된 이데올로기를 무너뜨려준다. 그렇기 때문에 이 단계에 있을 때 우리는 상대방이 그냥 필요한 게 아니라 진정한 자아를 찾기 위해 그가 필요하다는 걸 깨닫게 된다.

영원한 사랑의 결말이라고 늘 동화 같지는 않다

트윈플레임과 반드시 결혼할 필요는 없다. 그 어떤 관습적인 관계도 맺을 필요가 없다. 그러나 진정한 자기를 찾기 위해서는, 내일의 우리를 향해 꾸준히 성장하기 위해서는, 요즘 SNS를 도배하고 있는 최고의 인생을 살기 위해서는 이들이 필요하다. 우리에게 책임감을 심어주고 자극을 줄 수 있는 트윈플레임, 우리가 쉬운 길을 택하거나 변명하려고 할 때 이를 허락하지 않을 트윈플레임이 필요하다. 그를 트윈플레임이 아니라 뭐라고 부르든 관계없다. 오로지 세 번째 사랑만이 우리가 스스로를 영원히 사랑하도록 격려해준다는 사실은 달라지지 않는다.

2016년에 개봉한 영화 〈라라랜드La La Land〉를 예로 들어보자. 라이언 고슬링은 성공을 꿈꾸는 재즈 뮤지션 서배스천을 연기하고, 상대 배우인 엠마 스톤은 배우 지망생 미아를 연기한다. 지지부진한 관계 속에서 계속 우연히 마주치길 반복하던 둘은 마침내 서로 사랑에 빠지지만, 이내 사랑이 그 무엇도 보장해주지 않는다는 사실을 깨닫는다. 처음에 꿈과 야망을 나누며 관계를 발전시켰지만, 얼마 지나지 않아 사랑을 현실로 만들기 위해서는 서로의 존재 이상이 필요하다는 사실을 깨닫는다. 인생은 이들 앞에 꾸준히 장애물을 던져놓을 테고, 영원한 사랑을 위해서는 그동안 각자의 커리어를 선택했던 것처럼 앞으로 계속해서 서로를 선택해야 할 것이다. 그러나 상대방을 선택하려면 먼저 자신에 대해 알아야 하며, 완벽한 사랑이 존재하지 않는다는 사실을 받아들여야 한다. 그래도 결코 달라지지 않는 사실은 서배스천이 한 말처럼 "갈등이기도 하고 타협이기도 하고, 그저…… 늘 새로울 것이다." 이 대사는 여러모로 트윈플레임의 만남과 영원한 사랑을 향해 가는 이들의 여정을 완벽하게 묘사해준다.

우리는 연인, 그리고 우리 자신과 갈등을 겪을 것이고 타협해야 할 것이다. 이 안에는 새로움, 고갈될 줄 모르는 사랑이라는 감정도 존재한다. 다시 한 번 사랑을 믿게 해주는 그런 감정, 그런 마법 말이다.

보라. 이 영원한 사랑은 그저 '그리고 행복하게 살았습니다'보다 훨씬 더 위대하다. 또 영원한 사랑은 스스로를 향한 깊은 사랑 안에서 우리 자신의 존재를 깨닫게 하고 뿌리내리게 함으로써 자신을 향한 사랑과 유사한 사랑을 선택할 수밖에 없게끔 만든다. 우리 자신을 향한 사랑은 아마 백만 년 전, 소울메이트 때문에 처음으로 마음에 상처를 입었을 때 시작되었을 것이다.

우리 자신을 향한 사랑은 인생이 우리의 예상과는 다르게 흘러갈 수도 있다는 사실을, 그리고 결국 여전히 모르는 게 많다는 사실을 받아들이면서 시작되었을 것이다. 자기 사랑을 실천하는 일은 타인을 향한 조건 없는 사랑을 속속들이 익히는 것과 마찬가지로 시간이 한참 걸리는 여정이다. 우리의 연애 상대에게, 우리의 트윈플레임에게 사랑을 주려면 반드시 우리 자신에게 먼저 사랑을 주어야 한다.

이를 허튼 소리라고 무시하는 사람들도 있다. 그런 사람들은 사랑받기 위해서는 먼저 스스로를 사랑해야 한다는 말을 헛소리라고 깎아내린다. 하지만 그냥 사랑받는 것과 건강한 방식으로 사랑받는 것은 분명 다르다. 스쳐가는 사랑과 당신의 눈을 들여다보고 마음을 읽어주는 사랑은 분명 다르다. 그리고 우리에게 무언가를 요구하는 사랑과 우리가 부탁하기도 전에 우리 앞에 나타나는 사랑은 분명 다르다. 그러니까 자신을 먼저 사랑해야 한다는 게 누군가에게 사랑받기 위한 절대적인 조건은 아니다. 그러나 세 번째 사랑을 찾기 이전에 반드시 자신을 먼저 사랑해야 한다. 그렇지 않으면, 더 잘 설명할 방법을 모르겠는데, 계속해서 등신 같은 남자들만 사귀면서 마음의 상처만 얻게 될 것이다.

트윈플레임을 만나는 진정한 비결은 자신을 조건 없이 사랑하는 법을 배우는 것이다. 몇 년, 아니 어쩌면 평생 걸릴 수도 있는 여정이다. 이는 자신을 드러내는 일이고, 그동안 들었던 온갖 헛소리를 떨쳐내는 일이며, 꼬마 시절부터 우리 마음속에서 자라고 있는 몸짓 언어, 이미지 언어를 내려놓는 일이다. 우리 자신을 진정 사랑하는 방법을 배운다는 건 타인에게 받는 사랑으로는 결코 우리의 가치를 결정지을 수 없다는 사실을 이해하는 일이다. 누군가를 필요로 한다고 해서 그게 우리를 규정할 사람이 필요하다는 말은 아니라는 사실을 이해하는 일이다. 그 사람이 해야 할 일은 우리의 빈 칸을 채우는 일도, 우리의 불안을 감추는 일도 아니다. 우리에게 부족한 자기 사랑이 가려질 만큼 우리를 열정적으로 사랑하는 것도 그들의 일이 아니다.

이 여정을 거치는 동안 우리는 사실 최고의 사랑 또는 최고의 연애를 추구한 적이 없다는 걸 깨닫게 된다. 우리가 정말로 바라던 건 진정한 자기를 찾는 일이었다. 이전의 애인들이 우리를 충분히 사랑하지 않았다기보다는 우리가 우리 자신을 충분히 사랑하지 않았던 것이다. 온갖 파멸의 징후가 보였는데도 우리는 그 관계에서 벗어날 만큼 우리 자신을 사랑하지 않았다. 사랑할 준비가 되어 있지 않은 사람을 멀리할 만큼 우리 자신을 사랑하지 않았다. 그리고 우리 자신의 가치에 합당한 대우를 해달라고 끝까지 요구할 만큼 우리 자신을 사랑하지 않았다. 그렇게 우리는 고통과 혼란이 혼재한 길을 택했고, 그로 인해 교훈을 얻는 길을 택했다. 세 번째 사랑의 시험을 받는 동안에도 어쩌면 조건 없이 스스로를 사랑하는 방법을 배워야 할지도 모른다. 타인의 인정을 필요로 하지 않고, 우리 자신과 우리의 목적에 자신감을 갖고, 스스로를 지켜낼 수 있다면, 우리 인생에 무슨 일이 생기고 누가 드나드는지는 중요하지 않다. 진정 자신을 사랑한다면 우리는 여전히 사랑받고 있는 것이다.

이 지점에 도달하기 위해 우리는 그동안의 모든 경험을 해야만 했다. 그리고 혹시 이 글을 읽고 있는 당신이 아직도 그 과정에 있다는 생각이 든다면, 걱정할 필요는 없다. 아주 좋은 일이다. 지금이라도 이 여정을 걷고 있는 거니까, 그저 따뜻한 체온을 느끼기 위해 성장에 별 도움이 되지 않는 사람 곁에서 밤을 보내겠다는 쉬운 길을 택하지 않았다는 의미니까. 더 우월한 사랑은 존재하지 않지만, 당신이 더 나은 사람이 되도록 도와주는 사랑은 단 하나뿐이라는 사실을 알아가고 있는 중이니까 아주 좋은 일이다.

약간 지나친 표현일 수도 있지만, 우리는 자신에게 느끼는 감정을 기반으로 연애 상대를 선택한다. 동시에 우리는 스스로에게 느끼고 싶은 감정을 기반으로 상대를 선택하기도 한다. 둘 사이에는 큰 차이점이 있다. 우리 중 대부분의 사람이 초기 여정에서 소울메이트 사랑, 카르마 사랑을 선택하는 것은 그들이 우리의 상처를 계속 헤집으면서 우리의 중독 상태에 끊임없이 먹이를 주기 때문이다. 그들은 우리가 자라면서 습득한 조건의 연장선상에 있고, 그들과 만난 그때 우리의 정신적, 정서적 위치를 반영한다. 그러나 이들과의 사랑을 경험하면서 우리는 달라졌고 성장했다. 혹은 여전히 성장하는 중이다. 이제는 어렸을 적 아버지가 우릴 떠났다는 이유만으로 연락 없이 잠수 타는 남자와 연애할 필요가 없다. 자녀들을 떳떳하게 여기지 않았던 어머니의 모습을 닮은 여자와 연애할 필요가 없다. 고양이들과 함께 외로이 늙어 죽을까 봐 두려운 마음에 (아무리 잘생겼더라도) 그 바텐더를 집으로 들일 필요가 없다.

매우 창의적이고 사려 깊은 여성인 제인은 트윈플레임과의 관계 때문에 혼란스럽다며 내게 손을 내밀었다. 첫 상담을 마치고 나서 내가 알게 된 사실은 제인이 트윈플레임을 만난 지 2년쯤 되었으며, 두 사람 다 서로가 트윈플레임이라는 걸 인지하고 있으나, 아직 하나가 되진 못했다는 것이었다. 두 사람은 사귀는 사이였지만 육체적으로는 그렇지 않았다. 각자 걸어야 할 여정이 있기 때문이기도 했고, 두 사람이 다른 나라에서 살고 있기 때문이기도 했다. 두 사람은 서로 운명이라고 느끼는 한 다른 누구와도 육체적 관계를 갖지 않겠다고 약속했다. 두 사람은 자주 대화를 나눴고, 적어도 서너 달에 한 번씩은 만났다. 그러다가 제인의 마음이 흔들리기 시작했다. 주기적으로 가는 서핑 모임에서 만난 남자에게 관심이 가기 시작했던 것이다. 그녀가 내게 연락한 것은 그들의 관계가 위기에 처했다는 생각이 들어서였다. 트윈플레임과의 약속을 지키고 그에게 헌신해야 할까, 아니면 잘생긴 서퍼와 은밀한 욕망을 탐험해야 할까? 우리는 패턴과 사이클에 관해 대화를 나눴다. 그녀는 2년 전이었다면 두 번 생각할 것도 없이 새로 만난 남자를 집에 들였을 거라고 얘기했다. 이렇게 말했다는 것 자체로 제인은 이미 다른 사이클에 접어든 것이었다.

몇 차례 상담을 더 진행한 뒤, 제인은 장거리 연애에 신물이 났다는 속마음과 사랑하는 남자가 자신을 위해 큰 결심을 해주면 좋겠다는 속마음을 인정했다. 제인은 잘생긴 서퍼와 잠자리를 갖는 대신에 트윈플레임에게 자신의 속마음을 솔직히 털어놨고, 덕분에 둘은 함께 계획을 세울 수 있었다. 이렇게 해서 제인은 상황이 힘들어지면 상대방을 떠나버리는 사이클을 깨뜨렸다. 트윈플레임과의 사랑이 자기 수련을 감당할 만큼 가치 있기 때문에 가능한 일이었다.

제인의 경우처럼 트윈플레임 사랑은 어느 관계와도 다른 방식으로 서로의 성장에 도움을 준다. 트윈플레임을 만나고 조건 없는 사랑에 눈뜨기 시작한 이후에야 우리는 비로소 그 사랑을 다시 우리에게 전해주는 상대를 선택할 수 있게 된다. 이는 우리 자신이 지닌 가치에 합당한 대우를 받아야 한다는 교훈과 비슷하지만, 먼저 스스로에게 사랑을 준 이후에야 타인의 사랑을 받아들일 수 있다는 점에서 자기 사랑의 마지막 퍼즐 조각이 된다.

먼저 자신에게 조건 없는 사랑을 베푼 다음에야, 모든 상대와 모든 두려움, 모든 불안, 모든 외로움에서 벗어나 스스로 어떤 사람인지 알게 된 다음에야, 내면의 악마를 마주하고 짓밟은 뒤 더욱 강하게 일어선 다음에야 트윈플레임의 무조건적인 사랑을 받아들일 수 있다. 그러나 일단 이 지점에 도달해서 트윈플레임을 필요로 하고 그들이 (그리고 우리 스스로가) 우리 삶에 가져오는 가치를 깨닫고 나면, 그때는 전혀 다른 역학 관계가 성립한다. 어느 한 사랑이 다른 사랑보다 더 우월하지는 않더라도 아무나 우리가 진정한 자기를 찾을 수 있도록 성장하는 데 도움을 주는 건 아니라는 것을, 어떤 사랑을 최고라고 말할 때 사실 우리는 진정한 자기를 찾게 해준 사랑을 경험하고 있다고 이야기하고 있는 것임을 알아가는 것이다. 우리의 상처를 헤집을 사람을 택할지, 우리의 상처를 치유해 진정한 자기를 찾도록 도와줄 사람을 택할지는 우리가 결정할 일이다. 현재의 사이클을 유지하는 데 도움이 되는 사람을 택할지, 새로운 사이클을 시작하도록 밀어주는 사람을 택할지도 우리 스스로 결정할 일이다. 자신을 사랑하는 방법, 건강한 연애를 선택한다는 의미를 태어날 때부터 아는 사람은 없다. 이런 문제가 우리에게 가장 중요한 관심사는 아닐지라도 이를 인식하고 실제로 그 답을 알아내려고 노력하는 사람들이 점점 더 많아지고 있다는 건 분명한 사실이다.

영원한 사랑도 때로는 먼 길을 돌아간다

우리는 트윈플레임을 선택해야 한다. 트윈플레임 사랑에서 흥미로운 점은, 우리가 선택한 건 아니지만, 또 선택할 수도 없지만, 트윈플레임 사랑은 자기 수련의 여정이기 때문에 이 사람과 이 사랑을 받아들여야만 한다는 사실이다. 트윈플레임을 만날 수 있었던 건 애초에 우리가 자기 수련에 온 힘을 다하겠다고 다짐했기 때문이다. 우리 자신을 선택할 때까지는 결코 진심으로 상대방을 선택할 수 없기 때문에 우리가 트윈플레임을 사랑하더라도 사실은 그저 지속적으로 연락을 주고받는 가짜 연애를 하고 있을 수도 있다.

우리의 욕구, 욕망, 결핍, 타협할 수 없는 조건이 무엇인지 알고 나면, 그리고 우리 자신을 온전히 사랑할 수 있게 되면, 우리는 비로소 트윈플레임의 가치를 볼 수 있게 되고 그들을 받아들이겠다는 선택도 할 수 있게 된다. 이 사랑은 아주 마법 같고, 신묘한 타이밍과 놀라운 공감대를 만들어내지만, 굉장히 현실적이기도 하다. 트윈플레임을 바라보기 이전에 반드시 우리 자신을 있는 그대로 봐야 할 만큼이나 현실적이다.

그리고 우리에게 끊임없이 장애물을 던져주지만, 동시에 우리를 격렬하게 아껴주는 사랑이기도 하다. 이러한 장애물의 중요한 역할 중 하나가 바로 우리의 성장을 돕는 것이다. 앞서 얘기했듯, 이는 주로 여정의 초기 단계에 발생하는데, 처음 수준은 아니더라도 계속 되풀이된다. 당신이 듣고 싶어 하는 말이 아니라 당신이 들어야 할 말을 해주는 사람을 늘 곁에 둔다면 그런 말을 완전히 피하며 살 수 없기 때문이다.

트윈플레임 없이는 이 같은 방식으로 성장할 수 없다. 우리가 가장 집중해야 할 영역을 전혀 보지 못한 채 살아가게 될 것이다. 인생을 살아가면서 우리는 오로지 신체적 자기만 볼 수 있는데, 트윈플레임과의 관계 속에서는 정서적 자기를 볼 수 있다. 그리고 이때 보이는 정신적 상처는 오로지 우리만이 치유할 수 있다. 우리 삶에 다른 사람이 필요하지 않아서가 아니라 누구도 우리 일을 대신 해줄 수 없기 때문이다.

장애물을 넘지 않고는, 장애물의 방해 없이는 성장할 수 없다. 트윈플레임은 거울이 되어 우리의 기본적인 행동, 우리 안에 내재된 조건, 우리 자신을 제한하는 모든 생각, 본질적으로 우리가 정말로 성장해서 진정한 자기를 찾기 위해 밀고 나가야 할 모든 영역을 비춰준다. 우리 자신에게 무조건적인 사랑을 베풀지 못하게끔 우리 앞을 가로막은 장벽은 우리가 타인의 사랑을 받아들이지 못하게 방해한다. 트윈플레임은 우리를 조건 없이 사랑해주겠지만, 필요하면 이런 말도 할 것이다. "자기야, 이 모든 게 당신의 문제점이야. 나는 이게 괜찮다고 사탕발림하지도 않을 거고, 당신이 이 문제를 피해서 도망가게 놔두지도 않을 거야. 당신을 사랑하니까. 당신이 진정한 자기를 찾을 수 있도록 내가 돕겠다는 의미야. 당신의 성장이 우리 사랑보다 먼저라고 하더라도 말이야."

이는 제인의 경우처럼, 때로는 트윈플레임과 거리를 유지한 채 서로 해야 할 일을 하면서 사랑해야 할 수도 있다는 것을 의미한다. 일시적으로 그들을 놓아주거나 이 여정에 모든 것을 내맡기고 신뢰해야 할 수도 있다는 것을 의미한다. 어쩌면 그 순간에는 그들이 여전히 그들 자신을 선택하는 방법을 배우고 있는 중이라서 아직 우리를 선택할 준비가 되어 있지 않을 수도 있다는 것을 의미한다.

함께하는 사랑은 그 어떤 조건도 달지 않는다. 이는 집 앞에 잔뜩 쌓인 눈을 쓸어주거나, 우리에게 달콤한 초콜릿을 가져다주거나, 달빛 아래서 따뜻한 맨 살결에 다정하게 입 맞추는 게 전부인 사랑이 아니다. 육체적 사랑을 넘어서 정신적인 사랑까지 도달하는 사랑이다. 세 번째 유형의 사랑은 "이러이러한 당신을 사랑해"라고 말하지 않고, 대신 "어떤 모습이든 당신을 사랑해"라고 말한다. 그러나 이런 식으로 사랑할 수 있으려면 우리는 이 관계에서뿐만 아니라 우리 자신에게도 남다른 신뢰와 믿음을 가져야 한다.

내가 트윈플레임과의 여정에서 나 자신을 돌봐야 한다는 걸 처음 깨달았을 때 그와 그의 사랑으로부터 멀어지고 싶지 않아서 매우 고통스러웠다. 나는 정말이지 그를 떠나고 싶지 않았다. 늘 그랬던 것처럼 그 사람 곁에 가까이 머물고 싶었다. 그러나 잠시 떨어져 있어야 할 때가 오게 마련이다. 서로를 포기해서가 아니라 두 사람이 함께 있지 않아야만 각자 필요한 일을 할 수 있을 때가 존재하기 때문이다. 도망가는 시기 혹은 시험받는 시기와는 차원이 다르다. 이는 대개 소중한 사람과 얼마간 시간을 함께 보낸 뒤, 이 일은 오로지 혼자 해내야 한다는 사실을 알게 되어 발생한다.

나 역시 내가 할 수 있는 일이 아니라는 걸 알면서도 내가 도와줄 수 있으면 좋겠다고 전화기를 잡고 흐느껴 울었다. 두려웠다. 그를 사랑했기 때문이고, 그를 돕고 싶었기 때문이다. 그러나 어쨌든 나는 그와 적당한 거리를 유지했다. 그게 당시 그를 향한 내 사랑을 보여줄 수 있는 가장 좋은 방법이었다. 그가 스스로 인생을 경험하고, 자신의 힘으로 깨달음을 얻어 성장할 수 있도록. 사랑이 영원하지 않아서가 아니었다. 때로는 사랑이 우리에게 주는 가장 어려운 시험은 상대방을 놓아주는 것임을, 그리고 운명이라면 다시 만나게 되리라는 것을 믿었기 때문이다.

내 고객 중에는 트윈플레임을 만나고도 이를 또 다른 카르마 사랑이라고 착각해서 등한시한 이들도 있었다. 정답을 찾기 위해 모든 관계를 분류하려다 보니 트윈플레임마저 밀어내게 된 경우다. 타냐를 만났을 때 그녀는 이미 5년째 트윈플레임과 함께하고 있었다. 연애 기간 내내 타냐와 닉은 서로에게 아주 열정적이었다. 물론 저마다 극복해야 할 문제가 있었지만, 대체로 연애는 아주 수월하게 흘러갔다. 타냐는 닉이 그녀의 영원한 사랑이기를 바랐고, 또 사랑이라는 여정의 종착지에 도달했다고 진심으로 느끼기도 했다. 그러나 그때부터 닉의 행동이 달라지기 시작했다. 그는 자신이 이 연애에서 어떤 역할을 하고 있는지, 자기가 어떤 사람인지, 무엇에 열정을 갖고 있는지 더 이상 확신이 서지 않는다며 힘들어했다. 게다가 아주 어려운 시기를 보내면서 전 애인을 다시 만나자 타냐에게 이렇게 말하며 관계를 정리하려고 했다. "나는 당신이 아니라 줄리와 함께 있을 때 진정한 자기를 찾을 수 있어. 당신의 친구로 남을게. 그 이상은 안 되겠어."

타냐는 망연자실했다. 타냐는 닉을 사랑했지만, 그와 친구로는 지낼 수 없다는 걸 잘 알고 있었다. 친구로 남는다면 결코 그를 잊을 수 없을 터였다. 닉은 타냐가 꿈꿨던 미래를 거부했다. 그러나 타냐는 닉을 그 모습 그대로 받아들였다. 어떤 일이 겪든지 아무 조건 없이 그를 사랑한 것이다.

이 일이 있은 뒤 나와 대화를 나눌 때 타냐는 닉을 카르마 사랑으로 치부하려 했다. 그녀는 결국 아무런 교훈도 얻지 못한 걸 보니 똑같은 사이클의 반복이었던 것 같다고 말했다. 어떻게든 그와의 관계를 마무리 짓기 위해 상대방과 그 연애에 꼬리표를 붙이려고 애썼다. 그녀는 '상처의 짝'이라는 꼬리표가 자신들의 관계를 완벽히 묘사한다고 확신했다. '상처의 짝'은 관계에서 여전히 치유해야 할 상처를 드러낸다는 점에서 카르마 사랑과 유사하다. 그러나 대부분 자신의 성장을 영원히 피하기 위해 상처의 짝을 찾기 때문에 결국엔 상처를 치유하지 못하고 상처 입은 상태 그대로 남게 되곤 한다.

문제되는 상처는 저마다 다를 수 있지만, 버림받는 것에 대한 불안감, 자존감, 정서적 공감과 연관되어 있을 가능성이 많다. 우리는 벌어진 상처에서 느끼는 고통을 무의식적으로 즐기기 때문에 상처의 짝 곁에 머무르려고 한다. 그러는 편이 익숙하기도 하도, 상처의 짝을 떠난다는 건 우리의 피해 의식까지도 버려야 한다는 의미이기 때문이다.

그러나 타냐는 여전히 닉과의 관계에 이 꼬리표를 붙일 수도, 이 상황을 닉의 탓으로 돌릴 수도 없었다. 그와의 영적 유대가 너무 깊어서 도무지 카르마 사랑으로 무시할 수 없었고, 너무나도 아름다운 마음을 지닌 닉을 자아도취자라고 깎아내릴 수도 없었다. 그래서 타냐는 이런 일이 일어난 까닭이나 목적을 제대로 이해하지 못한 채 그냥 닉을 잊어보려고 애썼다. 얼마간 치유의 시간을 보낸 뒤 훌훌 털고 일어나려 했지만, 뜻대로 되지 않았다. 만나는 남자들마다 가볍게 데이트만 즐기려 할 뿐, 그 이상을 추구하려는 사람이 없었다. 그리고 그녀는 누구와도 육체적 관계를 맺지 않았다.

헤어진 지 1년이 지났을 무렵, 닉이 돌아왔다. 닉은 타냐에게 돌아오면서 사과한 건 물론이고, 그동안의 상황을 설명했으며, 앞으로의 계획도 제시했다. 자신의 미래뿐만이 아니라 타냐와 함께 맞이하고 싶은 미래에 대한 계획이었다. 닉은 자신에게 필요한 전부가 아니었는데도 그저 편안하다는 이유로 전 애인의 안정적인 품으로 도망가버렸다는 걸 이제는 깨달았다고 인정했다. 타냐와 떨어져 있는 동안 닉은 자신이 해야 할 일이 남아 있다는 것도 깨달았다고 했다. 그는 자신감을 가져야 했고, 사랑의 상처를 치유해야 했고, 자존감을 회복해야 했다. 두 사람은 이번에는 서두르지 않았다. 지난번과 다르게 접근했다. 서로의 욕구를 더욱 솔직하게 얘기했다. 물론 이별을 또 다시 반복하고 싶지는 않지만, 두 사람 다 떨어져 있었던 시간 덕분에 큰 치유를 경험할 수 있었다고 믿었다.

시간은 당신의 만남이 어떤 유형인지 알려주는 가장 진실한 바로미터다. 트윈플레임이라고 해서 늘 올바른 선택을 하는 건 아니다. 영원한 사랑도 때로는 먼 길로 돌아간다. 그러나 이런 상황이 오더라도 자기희생을 하거나 상대방을 바꾸려고 해서는 안 된다. 단순히 우리에게 주어진 상황을 받아들일 게 아니라 꾸준히 선을 지키면서 우리의 가치에 합당한 대우가 무엇인지 생각해야 한다. 순간순간 우리의 현실을 바로 보고 받아들여야 한다.

트윈플레임과의 관계를 망쳐서는 안 된다. 우리의 영원한 사랑이 될 운명을 타고난 사람을 잃어서는 안 되므로 세상이 완전히 뒤엉키고 모든 게 말이 안 되는 것처럼 보이는 순간에도 우리는 그저 계속해서 살아갈 수밖에 없다. 세상을 신뢰하고, 지금

이 순간에는 이해되지 않더라도 이별을 포함한 모든 일은 다 이유가 있기 때문에 일어난다는 믿음을 가져야 한다. 다른 만남을 통해서도 분명 성장할 수 있지만, 트윈플레임과의 관계에는 아무나 줄 수 없는 강렬함과 깊이가 존재한다.

트윈플레임 사랑은 모두에게 똑같이 적용되는 천편일률적인 사랑이 아니다. 그러므로 우리는 그저 이 사랑에 굴복하는 게 아니라 이 사랑을 받는 법을, 받아들이는 법을 배워야 한다. 우리에게 부족한 부분을 이 사랑으로 채우기 위해서가 아니라 우리에게 처음부터 부족함이 없었다는 것을 이제 깨닫게 되었기 때문이다. 우리를 가로막는 유일한 장벽은 우리 스스로 세운 것이다.

우리는 온전하지 않은 적이 없었다

어느 순간, 우리가 찾던 운명의 상대가 실은 바로 우리 자신이라는 걸 알게 된다. 이 사랑은 우리가 그동안 '운명의 상대'를 찾았던 게 아니라 우리 스스로 운명의 사람이 되기 위한 여정을 걷고 있었다는 사실을 알려준다. 그 덕분에 우리가 다른 사람을 위한 운명의 상대로 나타날 수 있었던 것이다. 진정한 자기를 찾는다는 것은 우리가 다른 사람이 필요하지 않은 초인적 존재라서가 아니라 우리가 여전히 노력하는 과정에 있다는 것을 이해하는 일이다. 이는 우리 자신에게 사랑과 용서를 베풀지 않으면 결코 상대방의 사랑과 용서도 받아들일 수 없다는 사실을 이해하는 일이기도 하다.

그러니까 어쩌면 결국 이 모든 게 영원한 사랑을 찾기 위한 일이 아니라 사랑을 받아들이는 법을 배우는 일인지도 모른다. 트윈플레임은 대개 우리가 바라지 않을 때 우리를 찾아온다. 기적 같은 일도 생기지만 이 역시 현실일 뿐이다. 좋은 시절도 찾아오지만 나쁜 시절도 찾아온다. 의심도 마찬가지다. 그러나 결국엔 믿음이 우리를 찾아온다.

세 번째 사랑에서 얻어야 할 교훈은 우리가 느끼는 사랑, 우리가 소유한 사랑을 제대로 이해하는 것이다. 단지 함께 자동차를 타고 깔깔거리며 밤길을 달릴 수 있는 사랑이라서가 아니라, 서로의 몸을 바짝 붙인 채 샤워할 수 있는 사랑이라서가 아니라, 우리가 이미 얻었거나 얻는 과정에서 자기 사랑이라는 깊은 우물을 발견할 수 있도록 우리를 일깨워준 사랑이라는 것을 이해하는 것이다.

세 번째 사랑은 진정한 자기를 찾도록 우리를 도와줄 뿐만 아니라 우리 자신을 사랑하는 방법도 가르쳐준다. 우리가 이 사람을 그토록 사랑하는 것은 바로 이 때문이다. 그가 최고라서가 아니라 그와 함께하면 우리가 최고의 모습이 될 수 있으니까. 이 관계가 그토록 강렬하게 느껴지고 오랫동안 지속되는 까닭은 트윈플레임이야말로 우리 자신이 결코 부족하지 않다는 사실을 일깨워주기 때문이다. 우리는 온전하지 않은 적이 없었다. 영화 속 로맨스보다 훨씬 더 아름다운 사랑이 찾아올 거라는 믿음, 멋진 인생이 우리를 기다리고 있을 것 같다는 느낌은 잘못된 게 아니다. 그렇다. 우리가 트윈플레임을 운명의 상대로 느끼는 것처럼, 우리 자신도 운명의 상대다.

트윈플레임인 두 사람이 각자 자기 사랑을 키우고 상대방에게 사랑받을 수 있도록 마음을 연다면, 정말로 우리 자신이 되는 법을 배울 수 있는 새로운 여정이 열린다. 관계의 굴곡, 장애물, 갖은 시험에도 불구하고 우리를 세 번째 사랑과 항상 연결시켜주는 것은 조건 없는 사랑이라는 근본적인 감정이다. 우리를 계속 돌아오도록 만드는 건 (또는 더 이상의 이별이 없다는 걸 마침내 깨닫게 해주는 건) 서류 한 장 또는 올바른 일을 해야 한다는 의무감이 아니다. 그건 언제나 사랑이다. 이 여정은 성장과 배움, 무엇보다 사랑을 향한 평생의 모험이 시작되는 초입일 뿐이다.

에필로그

우리는 언제 사랑에 빠질지 결코 알 수 없다

우리 모두는 단순히 사랑에 빠지길 바라는 게 아니라 '인생에 한 번뿐인' 러브스토리의 주인공이 되고 싶어 한다. 평범하게 보이고 싶어 하는 사람, 평범한 연애를 하고 싶어 하는 사람은 없다. 우리 모두는 다른 사람과 다르길 원한다. 우리에게만 존재하는 사랑이 있다고 믿고 싶어 한다. 그래야만 그 사랑을 더욱 보호하고 싶고, 더욱 가까이 하고 싶은 마음이 들기 때문이다. 사랑을 그저 편리를 위한 것이라고, 누구나 하는 것이라고 믿는다면 결혼이나 연애는 그저 점선 위에 서명해야 할 계약서 정도밖에 되지 않을 것이다.

결혼이나 연애를 살면서 꼭 해야 할 일로 여기는 사람들이 있다. 그들에게 묻고 싶다. 도대체 왜? 어째서 우리는 인생에서 결국 단 한 사람을 만나게 된다는 걸 믿고 싶어 하지 않는 걸까? 이 세상의 수많은 사람 중 단 한 사람만이 그 누구보다 우리와 잘 맞는다고 믿기를 왜 그토록 무서워하거나 또는 그런 사람이 있다는 것 자체가 불가능하다고 여기는 걸까? 맹목적으로 회의적인 세상에 태어났나 싶은 생각이 들 정도다. 어렸을 때 단짝 친구와 소꿉놀이를 하면서 면사포를 쓰고 "네, 결혼하겠어요"라고 했다가, 혹은 더 자란 뒤 영원한 사랑을 믿는다고 얘기했다가 어리석다는 말을 들었다고 하더라도 그건 핑계가 되지 않는다. 그런 일이 있었더라도 그건 과거의 일로 젖혀놔야 한다.

사랑이 이토록 대단하면 안 된다고 말한 사람이 누구인가? 그리고 도대체 왜 당신은 그들의 말을 믿는가? 여기까지 오는데 이미 억만 년쯤 걸렸다는 걸 나도 잘 알고 있다. 어쩌면 이 글을 읽고 있는 당신의 아름다운 눈에 눈물이 가득 고여 있을지도 모른다. 그동안 언제나 믿었던 단 하나의 것, 사랑이란 걸 실제로 잡을 수 있을까 싶은 생각이 밀려들어 울컥할 수도 있다.

솔직하게, 내가 바로잡아보겠다. 당신은 그냥 사랑을 원하는 게 아니다. 모든 것을 원한다. 당신은 열정적이고, 온화하고, 의리 있고, 재미있으면서, 이른 아침 난리도 아닌 당신의 얼굴을 보고도 언덕으로 뛰어가버리지 않을 사람을 원한다. 당신은 모험을 원하고, 대양을 가로지르는 깊은 밤 달빛 아래 달콤한 순간을 원한다. 당신은 이해받고 싶어 한다. 그리고 무엇보다 사랑에서 실수했다고 생각하고 싶어 하지 않는다.

우리 모두는 옳고 싶어 한다. 그리고 물론, 반드시 옳아야 하는 순간이 있다. 그러나 사랑에서 항상 옳아야 한다는 마음을 갖는 건 목에 올가미를 감고도 여전히 숨 쉴 수 있기를 바라는 것만큼이나 해롭다. 옳거나 사랑에 빠지거나. 이렇게 간단하다. 우리는 이제 사랑에서 과거와는 다른 것을 원한다. 그리고 이것은 그냥 괜찮은 게 아니라 아주 멋진 일이다. 왜냐하면 단순히 인생의 동반자가 아니라 영혼의 동반자가 될 사람을 찾는 것이기 때문이다. 우리는 수요일마다 미트로프를 먹고 금요일 밤이면 섹스하는 지루한 삶을 살고 싶어 하지 않는다. 인생의 끝자락에서 바라봤을 때 경외심을 불러일으키는 삶이길, 우리의 사랑이 그저 번식의 수단이라거나 누군가가 만들어놓은 틀에 맞춰 살기 위한 도구이기보다 더 큰 의미를 지니고 있길 바란다. 우리는 편리를 위한 제도, 가족 또는 사회가 우리에게 행복한 삶을 위한 것이라며 강요했던 제도에 불과한 결혼에 더 이상 만족하지 않는다.

이게 바로 놀라운 점이다. 우리 모두 저마다의 사랑을 찾아야겠다는 영감을 받았다. 그래서 우리는 사랑에 빠진다. 그리고 또 다시 사랑에 빠진다. 그리고 또 다시 트윈플레임을 찾을 때까지 우리는 계속해서 사랑에 빠진다. 우리는 계속 배움의 기회를 얻는다. 더 중요한 것을 위해 우리 자신의 가장 좋은 부분을 내주고, 그 과정에서 동화 같은 사랑은 존재하지 않는다는 걸 깨닫는다. 완벽한 사람이나 완벽한 연애는 존재하지 않지만, 사랑 그 자체는 언제나 완벽하다.

여기까지 가는 여정에서 우리는 올바른 사랑과 잘못된 사랑이 있다는 생각을 버리게 된다. 사랑을 비교하는 것을 그만두고 더 우월한 사랑은 없다는 사실을 깨닫는다. 연애 관계는 상대방이 실제로 어떤 사람인지보다 그 당시 우리가 어떤 사람인지를 더 많이 반영한다는 사실을 이해하기 시작한다. 우리는 우리에게 교훈을 줄 운명을 타고난 사람에게 끌릴 것이라는 사실과 우리가 두려워하는 것 또는 바라는 것을 그대로 드러낼 것이라는 사실을 알게 된다.

그러나 결국, 사랑은 그저 사랑일 뿐이다. 말로 다 표현할 수 없지만, 사랑은 타인을 향한 깊은 존경과 비슷한 느낌을 준다. 앞에 놓인 장애물을 넘고 기쁨을 맛보면서 영원한 사랑을 끌어들이기 위해서는 먼저 우리 자신과 사랑에 빠져야 한다. 그러면 패턴과 사이클을 인식하게 된다. 우리는 이전과 다른 선택을 하기 시작하는데, 이는 우리가 받고 싶었던 것을 받기 시작하는 것에 불과하다.

다른 사랑보다 우월한 사랑은 없지만, 자물쇠에 꼭 들어맞는 열쇠가 있는 것처럼 이전에는 누구도 하지 못한 방식으로, 그리고 누구도 하지 못할 방식으로 우리의 마음을 여는 단 한 사람이 존재한다. 우리는 같은 방식으로 또 다시 사랑하기란 불가능하다는 사실을 이해하게 될 것이고, 그러므로 우리가 사랑을 이해하고 실천하는 방법도 달라질 것이다.

달콤했던 소울메이트와의 사랑을 다른 사람과 다시 할 수 없을 것이며, 카르마 사랑의 중독적인 사이클도 두 번 다시 반복할 일이 없을 것이다. 우리에게 소울메이트는 세 명일 수도 있고 딱 한 명일 수도 있다. 카르마 사랑을 열 번 반복한 뒤에야 교훈을 얻게 될 수도 있고, 두 번 만에 교훈을 얻을 수도 있다. 그러나 우리가 어떤 이름을 붙이든, 그 사람과 결혼을 하든 안 하든, 우리를 영원히 달라지게 하고 우리가 사랑하는 방식을 변화시키는 건 단 한 사람, 단 하나의 사랑뿐이다.

우리의 트윈플레임이 되어 우리 자신과의 관계를 영원히 바꿔줄 한 사람. 우리가 늘 갈망했던 모든 방식으로, 우리가 우리 자신을 대해야 할 바로 그 방식으로 우리를 사랑해줄 단 한 사람이 있다. 우리 스스로 세워놓은 벽을 허물고, 우리로 하여금 모든 것에 의문을 품게 만들 바로 그 사람. 존재하는지조차 몰랐던 세상을 볼 수 있도록 우리 눈을 뜨게 해줄 단 한 사람. 이런 사람을 우리는 트윈플레임이라고 부르지만, 사실 이들은 그저 그들 자신일 뿐이다. 비범하게 사랑하는 방법을 익힌 평범한 사람. 특별하고 온전한 사람. 어떤 단어로도 정의 내릴 수 없는 사람이다. 그건 이들에게 초능력이 있어서가 아니라 떠나버릴 수 있었을 때도 우리 곁에 남아 있었기 때문이고, 포기할 수 있었을 때도 끝까지 우리 손을 놓지 않았기 때문이며, 모두의 눈에 불가능해 보일 때도 우리를 사랑했기 때문이다. 이들은 우리가 더 우리다워지도록, 우리가 타고난 모습을 되찾도록 도와주었다. 언제나 우리 곁에 있었지만 어떻게 찾아야 할지 몰랐던 그 사람. 우리에게 현실의 영역 너머에 어떤 가능성이 존재하는지 일깨워줄 운명을 타고난 그 사람. 스스로를 사랑하기 위해서는 무언가를 해야 하는 게 아니라 그들처럼 우리의 있는 모습 그대로를 받아들이기만 하면 된다는 걸 우리에게 보여준 그 사람.

우리 삶은 영원한 사랑을 찾아가는 여정이다. 이 여정은 지금까지 늘 우리 곁에 있었고 앞으로도 그럴 것이다. 진정한 자신의 모습으로 살아야 한다는 것, 다른 사람과 함께하기 이전에 우리 스스로에게 충실해야 한다는 것을 배워가는 여정, 그리고 이 과정 속에서 우리의 인간성이 드러나리라는 걸 이해하고 받아들이는 일이자 여정이다. 우리는 우리가 사랑한다고 말하는 사람에게 상처를 줄 것이고, 실수를 할 것이고, 또 다시 노력할 것이다. 바로 이런 게 사랑이기 때문이다. 그리고 사랑은 언제나 가치 있다. 무엇이라도 기꺼이 감당할 만한 가치가 있다.

이것은 단지 사랑으로 가는 여정일 뿐만 아니라 사랑이 아닌 것을 알아가는 과정이기도 하다. 사랑할 준비가 되어 있지 않은 사람 또는 그저 장난하듯 연애하려는 사람들과의 관계에 엮일 일이 없게 하기 위한 여정이기도 하다. 우리는 누군가의 노리개가 되기엔 가치 있는 사람이라는 사실, 그리고 우리가 정말로 원하는 것을 얻으려면 그에 맞는 선택을 해야 한다는 사실을 깨달아가는 여정이기도 하다. 그리고 결코 포기하지 않는 것을 배우는 여정이기도 하다. 우리의 자아나 교만이 세상에서 가장 중요한 사랑과 함께하는 앞길을 막도록 내버려둬서는 안 된다.

우리의 사랑은 순차적으로 흘러가지 않는다. 카르마 사랑인 줄 알았는데 나중에 돌이켜보니 소울메이트였을 수도 있고, 사실은 소울메이트였는데 트윈플레임으로 오해할 수도 있으며, 때로는 트윈플레임이 카르마 사랑과 닮아 보일 수도 있다. 오로지 사랑에 집중하는 대신, 이 사랑의 끝에 이별이 있을지 아니면 별빛 가득한 하늘 아래서의 결혼 약속이 있을지 지켜보는 대신 상대방이 어떤 사랑인지, 우리 인생에 찾아온 목적이 무엇인지 알아내기 위해 애써야 한다.

이는 우리의 필요는 우리만 안다는 것, 정말로 중요한 건 단지 사랑이 아니라 그 사랑이 우리에게 보여주는 내용이라는 걸 알아가는 과정이다. 모르는 것도 이 여정의 일부라는 것, 우리가 모든 걸 알았더라면 좋았겠지만 인생은 특정한 방식으로 우리가 몽땅 틀렸음을 보여준다는 것, 그렇지만 틀려도 괜찮다는 것, 때가 되면 우리에게 무엇이 필요한지 알게 되리라는 것, 그리고 무엇보다 꼭 해야 할 일이라면 결국엔 알게 되리라는 것을 알아가는 과정이다. 그리고 누구와 함께하게 될지 알아가는 과정이기도 하다.

사랑은 마법이다. 사랑은 형언할 수 없을 만큼 아름답다. 시간의 끝자락에서 길을 잃은 듯한 달빛 아래 하는 입맞춤이다. 그러나 사랑은 눈물 젖은 얼굴로 보내는 힘든 나날의 연속이기도 하다. 사랑은 여기서 어디로 가야 할지 모르겠지만 옳은 길로 가고 있을 것이라고 믿는 것이다. 사랑은 용서하는 것이다. 그리고 또 용서하는 것이다. 우리 자신을, 그리고 상대방을, 우리가 얼마나 열심히 노력했어도 이보다 더 잘할 수는 없었을 거라는 명백한 사실을 용서하는 것이다.

사랑은 포기하지 않되 가망 없는 일을 고집하지 않는 것이다. 사랑은 진실, 신뢰, 무엇보다 우리 자신의 일부를 들여다본 이 사람이 우리를 배신하지 않도록 최선의 노력을 할 것이라는 믿음이다. 그리고 그들이 배신하더라도 다시 용서하는 것이다. 영원한 사랑을 찾는다는 건, 혼자서도 편하게 지낼 수 있다는 사실을 배우는 것이고, 우리 자신과 데이트를 즐기는 것이며, 주말이라고 술집에 가 마티니를 시켜놓고 잘생긴 남자들과 시시덕거리면서 보내지 않는 것이다. 후회 없는 아침을 맞이하는 편이 낫다는 사실을 알고 홀로 잠자리에 드는 것이다.

또 부모님이 원하는 상대를 만나 결혼함으로써 부모님을 기쁘게 하는 게 우리의 의무가 아님을 배우는 것이다. 사회의 요구대로 사는 것, 우리 인생에 주어진 청사진을 어떻게든 따르는 건 우리의 의무가 아니다. 남들과 달라도 괜찮다. 누구도 바라지 않는 것 같은 삶을 갈망해도 괜찮다. 우리가 해야 할 일은 우리의 장점을 이해하는 것, 결국 우리 예상보다 훨씬 더 좋은 곳에 도달할 것이므로 우리가 틀릴 수도 있음을 인정하는 것이다. 그리고 무엇보다 매일 아침 일어나 오늘도 다시 한 번 노력하겠다고 마음을 다잡는 것이다.

사랑은, 상처 입었을 때도 마음의 문을 닫지 않는 것이다. 단지 사람들을 밀어내기 위해 자기 방어 또는 자기 파괴를 하거나 또 다시 상처 받을까 봐 두려워서 철창 안에 마음을 가두어버리는 게 아니다. 두 번 다시 사랑이 찾아오지 않으리라고 생각하지 않고 마음을 활짝 여는 것이다. 영원한 사랑을 찾는 여정은 아픔도 이 과정의 일부임을 이해하는 것이다. 우리는 더 많은 사랑을 받아들일 수 있도록 마음을 열어야 한다. 연애에 실패해 봐야 우리가 다음번에 하지 말아야 할 것들을 배울 수 있다. 게다가 떠나가는 운명의 상대를 붙잡지 말아야 할 때도 있다. 그래서 우리가 그들 없는 삶을 원하지 않는다는 걸 깨달을 수 있도록.

이는 꼭 힘들어야 한다는 허튼소리를, 예기치 않은 사랑에 빠지면 안 된다는 허튼소리를, 너무 감정적으로 보이면 안 된다는 허튼소리를 내치는 일이다. 상대방의 마음을 끌려면 이래야 한다고, 이렇게 해야 한다고 우리에게 말하는 세상의 모든 충고를 뿌리치는 일이고, 우리를 평생 사랑할 운명의 상대는 우리가 뿌리염색을 하든 말든, 턱에 남산만한 여드름이 나든 말든 신경쓰지 않으리란 걸 깨닫는 일이다. 이는 우리가 엉망진창이고, 삶이 엉망진창이고, 사랑도 당연히 엉망진창이지만 그럼에도 불구하고 사랑에 모든 것을 쏟아붓겠다고 마음먹는 것이다. 사랑이 아무리 우리를 쓰러뜨리더라도 언젠가 한 번은 우리에게 도움의 손길을 뻗을 것이기 때문에 우리도 노력하겠다고 약속하는 것이다.

홀로 낯선 도시를 걷다가 택시에서 내리는 사람과 마주치는 순간, 우리의 세상이 뒤집힌다. 또는 전 애인이 나오는 꿈을 꾸다가 결국 못 이기고 그들에게 연락을 취한 순간, 그들도 우리를 그리워하고 있었다는 사실을 알게 된다. 사랑은 때가 되면 다가올 것이다. 그리고 또 다시 올 것이다. 첫 시도에 아니면 몇 번째인지도 모를 만큼 시도한 끝에 올 수도 있다. 그러나 분명 사랑은 다시 찾아온다.

사랑을 찾는 건 과학이 아니다. 사랑을 찾는 일의 목적은 사랑의 양을 측정하려는 게 아니라 사랑으로부터 배움을 얻으려는 것이다. 사랑을 찾는 일의 목적은 사랑에 믿음을 갖는 것이다. 우리 자신과 이 여정에 믿음을 갖는 것이다. 사랑하면서 스스로를 잃지 않겠다고, 자신의 감정을 억누르지 않겠다고 약속하는 것이다. 누가 "노no"라고 말한다고 해서 우리의 존재 자체를 거부하는 건 아니므로 기분 나쁘게 받아들일 필요가 없다는 사실을 이해하는 것이다. 자신을 향한 사랑에 한없이 깊이 빠져들어 그 사랑 없이는 우리가 존재할 수 없다는 사실을 깨닫는 것이다.

자신을 향한 사랑이 아주 깊으면 혼자일 때도 결코 사랑이 부족하다고 느끼지 않는다. 그런 상태가 되면 우리는 다른 선택을 하기 시작한다. 더는 서두르지 않는다. 계획하지 않는다. 모든 걸 안다고 생각하거나 그런 척하고 싶어 하지 않는다. 만약을 대비한 계획을 포기하고, 우리가 원하는 건 함께 잠자리에 들 사람이 아니라 같이 아침을 맞이할 사람이라는 걸 알기 때문에 밤늦게 휴대전화를 만져대며 데이트 어플을 들여다보지 않는다.

먼저 자신에게 모든 것을 바쳐봤기 때문에 이제 우리가 그 전부를 원한다는 걸 인정한다. 우리는 사랑을 저지하지 않는 방법, 우리 자신을 받아들이는 방법을 알았다. 우리 자신은 이미 존재하는 모습 그대로 놀라울 만큼 가치 있다는 사실을 알았다. 이제 우리는 자립, 그리고 교제를 원한다는 걸 받아들인다. 우리는 혼자만의 시간, 그리고 밤마다 함께 잠자리에 들 사람을 원한다. 이 광활하고 아름다운 세상을 자유롭고 거칠게 뛰어다니고 싶으면서 동시에 집 안에서 누군가가 우리를 응원해주길 바란다.

우리가 어떤 사람인지, 사랑이 무엇인지 알아가는 게 여정의 전부가 아니다. 이는 진정한 자기를 찾으려면, 우리가 결코 포기하고 싶지 않은 모습으로 꾸준히 성장하려면 어떻게 사랑받아야 하는지를 알아가는 과정이다. 그래서 우리가 정말로 사랑과 연애를 우선순위로 삼는 지점에 도달할 수 있도록 말이다. 이제 우리는 사랑을 찾아 헤매는 일을 그만둬야 한다. 어떻게든 해보려는 노력을 그만둬야 한다. 우리가 어떤 사람인지 또는 우리가 어떤 관심사를 갖고 있는지 누군가에게 알려주려는 노력을 그만둬야 한다. 우리가 모든 걸 통제할 수 있다는 믿음을 내려놓고, 그저 존재해야 한다. 우리 자신이 사랑이기 때문에 우리는 사랑 안에 존재하는 것이다. 그러므로 우리는 자신을 사랑하고, 무엇이 다가올지 전혀 모르지만 그 가능성을 사랑해야 한다.

그래도 괜찮을 것이다. 모든 일에 만족하게 될 것이다. 이때가 바로 모든 것이 달라지는 순간이다. 이때가 바로 우리가 다시 사랑을 마주하는 순간이다. 사랑이란 결코 강요하거나 설득할 수 없다는 사실을, 그리고 매 순간 우리와 함께하고 있었다는 사실을 깨닫는 순간이다. 지금까지 이 여정 내내 사랑은 우리와 함께하고 있었다. 트윈플레임이 우리를 찾아오는 여정에도, 마침내 찾아온 그들을 맞이할 수 있도록 우리가 준비하는 여정에도.

감사의 말

〈엘리펀트 저널Elephant Journal〉을 언급하지 않고서는 이 글을 쓰기까지의 여정을 얘기할 수 없습니다. 제 글의 첫 번째 플랫폼이 되어줘서 감사합니다. 또한 제 첫 번째 편집자가 되어주고 더 나은 작가가 될 수 있도록 가르쳐준 애슐리 자이 히치콕에게 감사합니다. 〈엘리펀트 저널〉에 실린 제 글을 보고 연락을 취해 동기를 부여해주고, 훌륭한 에이전트인 조지프 뒤르포와 연결해준 작가 매슈 켈리 덕분에 첫 책을 낼 수 있었습니다. 그의 응원과 도움 덕분에 제 인생은 이전으로 돌아갈 수 없을 만큼 달라졌고, 이 책도 세상에 나올 수 있었습니다. 감사한 마음을 평생 잊지 않겠습니다.

새러 카더, 레이철 에이욧을 포함한 타처페리지의 모든 분에게 감사합니다. 저를 믿어줘서, 이 책의 가능성을 알아봐줘서, 이 책이 나올 수 있도록 열심히 도와주고 지도해줘서 감사합니다. 마지막으로 가족들에게 고맙습니다. 엄마가 온종일 글을 쓸 때 시리얼로 저녁을 때우고도 이해해준 딸들에게 고맙습니다. 그리고 일하느라 정신 없는 동안 딸들을 보살펴준 부모님에게 감사와 사랑의 마음을 전합니다. 부모님의 도움이 없었더라면 이 책은 결코 나올 수 없었을 겁니다.

여러분 모두에게 영원히 감사합니다. 고맙습니다.

You Only
Fall in Love
Three
Times

옮긴이 | 김보람

국제관계학을 전공하고 비영리 민간 단체와 대기업을 거쳐 지금은 전문 번역가로 활동하고 있다. 옮긴 책으로는 『힐빌리의 노래』 『할아버지와 꿀벌과 나』 『우리는 다시 한번 별을 보았다』 『바람과 함께한 일 년』 『그 여름, 그 섬에서』 『스틸니스』 등이 있다.

누구나 세 가지 사랑을 한다

초판 1쇄 인쇄 2021년 9월 30일
초판 1쇄 발행 2021년 10월 10일

지은이 케이트 로즈
옮긴이 김보람
펴낸이 유정연

이사 임충진 김귀분
책임편집 김경애 **기획편집** 신성식 조현주 김수진 이가람 **디자인** 안수진 김소진
마케팅 박중혁 정문희 김예은 **제작** 임정호 **경영지원** 박소영

펴낸곳 흐름출판 **출판등록** 제313-2003-199호(2003년 5월 28일)
주소 서울시 마포구 월드컵북로5길 48-9(서교동)
전화 (02)325-4944 **팩스** (02)325-4945 **이메일** book@hbooks.co.kr
홈페이지 http://www.hbooks.co.kr **블로그** blog.naver.com/nextwave7
출력·인쇄·제본 성광 인쇄 **용지** 월드페이퍼(주)

ISBN 978-89-6596-468-1 03190